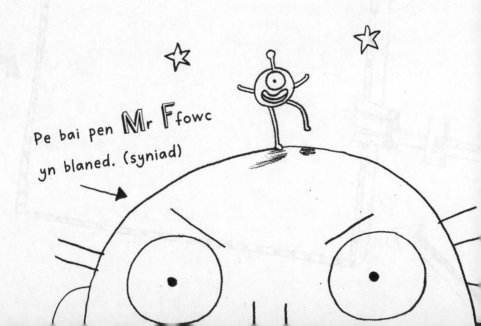

IA!

NA.

(Ella...)

gan Liz Pichon

(sy'n dda iawn am wneud penderfyniadau
y rhan <u>fwyaf</u> o'r amser.)

RILY

Twm Clwyd 7

ISBN 978-1-84967-485-0

Hawlfraint y testun: © Liz Pichon Ltd, 2015

Addasiad Cymraeg gan Gwenno Hughes, 2020
Hawlfraint yr addasiad © Cyhoeddiadau Rily 2020

Cyhoeddwyd yn wreiddiol yn Saesneg
dan y teitl *Tom Gates: Yes! No. (Maybe ...)*
gan Scholastic Children's Books, argraffnod o Scholastic Ltd,
Euston House, 24 Eversholt House, Llundain NW1 1DB.

Argraffwyd a rhwymwyd ym Mhrydain
gan CPI Cox (UK) Ltd, Croydon, CR0 4YY

Cyhoeddwyd gan Gyhoeddiadau Rily Cyf.
Blwch Post 257, Caerffili CF83 9FL

Cyhoeddwyd gyda chymorth ariannol Cyngor Llyfrau Cymru.

www.rily.co.uk

Mae'r 📖 llyfr yma yn gyflwyniedig i'r hyfryd Penny Dann ♡ a ddyluniodd nifer o lyfrau gwych ei hunan. (Roedd hi'n hoffi cŵn sosej hefyd.)

Ci sosej

Chwilen yn balansio

Fi yn bod yn brysur

Dwi'n dda iawn am wneud penderfyniadau fel arfer, YN ENWEDIG wrth drafod bwyd.

FI!

Ond bore 'ma mae pethau wedi bod ychydig bach yn ANODD – achos bod Nain Clwyd wedi galw ddoe efo lot o BETHAU BLASUS!

YN CYNNWYS

PACED bach o

RAWNFWYDYDD GWAHANOL, sef fy HOFF BETH.

Diolch, Nain!

Daeth hi â phethau eraill hefyd ond doedd rheini ddim cystal. DAU baced o greision blas

gwymon-a-PHREN a JAR o

rywbeth OD oedd mewn *Surop*.

— Dau am bris un!

"Dwi'n cadw i anghofio bod creision yn mynd yn SOWND yn nannedd dy daid," meddai Nain wrtha i (fel 'mod i eisiau gwybod). "Felly ro'n i'n meddwl basat TI yn eu —O. hoffi nhw, Twm," " meddai hi, gan eu pasio i mi. Wnes i drio 'ngora i beidio gwneud wyneb "Iiiiwww AFIACH."

Yn hytrach, wnes i ddweud wrth Nain y dylai hi eu rhoi nhw i Delia.

Mae hi'n CARu'R blas yna!

Dywedodd Nain 'mod i'n frawd hynod feddylgar a wnes i gytuno. Gwir CANLYNIAD GWYCH achos rŵan mae o'n "swyddogol". FI pia'r GRAWNFWYD, Delia sy pia'r CREISION a chaiff Mam a Dad y *Stwff mewn surop.*

Cuddiais y grawnfwyd yng nghefn y cwpwrdd i wneud yn siŵr bod neb arall yn helpu eu hunain cyn **FI.**

Felly bore 'ma, dwi wedi dod i lawr y grisiau yn gynnar i EDRYCH ar yr holl bacedi grawnfwyd gwahanol. Ond dwi'n methu penderfynu pa un i'w gael yn GYNTA. I ddechrau dwi'n tynnu'r plastig sy o'u cwmpas ac yn ADEILADU TŴR GRAWNFWYD tra dwi'n ystyried.

Yn y diwedd dwi'n penderfynu ar ... y Coco Crwn.

Dwi ar fin cydio ynddyn nhw ...

3

"Diolch yn fawr iawn."

"FI PIA HWNNA! TYRD Â FO 'NÔL!" gwaeddaf.

"PWY SY'N DEUD?" mae Delia'n gofyn wrth iddi agor y grawnfwyd.

"Wnaeth Nain eu prynu i MI. Dywedodd hi mai fi oedd yn eu cael nhw."

"Gen ti BUMP paced ar ôl, Twm. Dwi'n bwyta hwn."

"NA, chei di DDIM!" meddaf fi, gan BANICIO.

"Ymm, GALLAF - GWYLIA FI."

Mae Delia yn dechrau tywallt LLEFRITH ar ei grawnfwyd. Yna mae hi'n dal y bowlen MOR UCHEL fel na alla i ei chyrraedd.

"Dyma fy mrecwast i a does dim galli di neud amdano fo."

Ond mae hi'n ANGHYWIR - achos MAE gen i gynllun ...

Dwi'n CARLAMU o gwmpas y gegin yn cipio

POB llwy y gallaf ddod o hyd iddyn nhw o BOB MAN.

(LLWYAU PREN, llwyau te, LLWYAU MAWR, y cyfan I GYD.)

Dwi'n stwffio'r CWBL i fag plastig a'u DAL

yn DYNN.

Mae Delia yn fy ngwylio.

Ydi hyn WIR yn digwydd? ochneidia.

Mae yna UN llwy ar ôl ger y sinc ... ac mae'r

DDAU ohonom wedi'i gweld.

Mae Delia yn BRASGAMU

OND dwi'n cyrraedd O'I BLAEN

drwy LITHRO

ar hyd y llawr a chipio'r llwy.

7

"O IE, FI PIA'R LLWY!"

meddaf fi a'i stwffio i'r bag.

"Tyrd â'r LLWY i mi, Twm."

Mae Delia'n dechrau GWYLLTIO.

"Tyrd â fy NGRAWNFWYD i mi," dywedaf. (sy'n DEG.)

Yna, er mwyn bod yn SIŴR, dwi'n mynd AR GARLAM

o gwmpas y gegin

ac yn mynd

â'r FFYRC hefyd.

"IAWN, DYNA DDIGON,"

meddai Delia wrtha i, gan geisio swnio fel Mam.

Dwi credu ei bod hi'n barod i FARGEINIO,

felly dwi'n gwneud awgrym.

"Gei di'r bocs YMA o **greision ŷd** PLAEN

os wnei di roi'r Coco Crwn yn ôl i mi. Dyna fy

FFEFRYN."

"A'n ffefryn i hefyd.

Rŵan tyrd â llwy i mi."

"Ond wnaeth Nain roi'r CREISION yna i TI." (Dwi ddim yn sôn pa flas ydyn nhw.)

"Dwi ddim eisiau CREISION i frecwast. Dwi eisiau'r grawnfwyd yma," meddai Delia.

Dwi'n dechrau ANOBEITHIO. Felly dwi'n dweud,

JYST RHO FO 'NÔL PLIS?

Mae Delia yn dechrau CERDDED tuag ata i. Dwi ddim yn BERFFAITH siŵr beth mae hi'n mynd i'w wneud. Dwi'n dal y bag PLASTIG o 'mlaen, yna dwi'n rhyw fath o'i SWINGIO o gwmpas am ychydig i'w hatal rhag dod yn nes.

Mae Delia yn gallu bod yn SLEI pan mae hi eisiau rhywbeth.

"CAMA YN ÔL oddi wrth y llwyau ... a'r ffyrc," meddaf fi wrthi, rhag ofn iddi gael unrhyw syniadau.

Mae Delia yn AROS, edrych i lawr ac yna'n araf, mae hi'n agor drôr a thynnu allan ...

TSIOPSTICS?

"Wnest ti ANGHOFIO am rhain!" meddai hi dan CHWERTHIN.

Dwi'n gwylio Delia'n pigo'r Coco Crwn i fyny'n GELFYDD fesul un efo'r tsiopstics. (Feddyliais i ddim am HYNNA.)

Mae yna sŵn clindarddach UCHEL CRAS wrth i mi **OLLWNG** y bag efo'r holl lwyau a ffyrc.

Sy'n tynnu sylw Mam a Dad yn SYTH at y ffaith bod rhywbeth amheus yn digwydd i lawr y grisiau.

"Byddi mewn trwbwl RŴAN!" meddaf fi wrth Delia wrth iddi barhau i fwyta fy ngrawnfwyd i efo'r tsiopstics. Dydi hi ddim yn edrych fel petai hi'n poeni.

Wrth wylio Delia yn stwffio fy NGRAWNFWYD I, dwi ddim yn sicr a ydw i ei eisiau yn ôl rŵan.

Beth OEDD y **SŴN** yna? A pham fod y bag yna ar y llawr?

Yna mae Dad yn edrych ar Delia.

"**PAM** wyt ti'n bwyta efo tsiopstics?"

"GOFYNNWCH I **TWM**," meddai hithau'n ddi-hid.

FELLY dwi'n egluro sut gwnaeth Nain Clwyd roi y pacedi o rawnfwyd bach i **MI** a bod **Delia** wedi helpu ei hun – sori – DWYN fy hoff baced a'i bod yn ei fwyta'r eiliad hon.

Cymerais y llwyau i geisio ei HATAL ... O, a'r ffyrcs hefyd.

Mae Mam yn dweud bod yn rhaid i mi:

1. Roi'r cyllyll a ffyrc yn eu hôl.

2. Ddewis grawnfwyd arall i'w fwyta neu bydda i'n hwyr i'r ysgol.

Yna mae hi'n rhybuddio Delia bod yn rhaid iddi hi:

1. STOPIO dwyn fy ngrawnfwyd.

(Gwell hwyr na hwyrach, beryg.)

2. Fod yn LLAWER mwy **AEDDFED** yn y dyfodol (sy'n gwneud iddi swnio fel hen gaws.)

(Caws drewllyd)

Ha! Ha!

11

"Os gwnaiff o'ch STOPIO chi'ch dau rhag dadlau, wna i BRYNU P A C E D arall o rawnfwydydd bach," meddai Mam mewn llais mymryn yn flin.

Delia → Twm →

Dwi'n nodio (" 😑 ") ac mae Delia yn mwmial rhywbeth wrth iddi sglaffio.

 OND mae Mam yn YCHWANEGU,

Cyn bo hir. Sy'n BRYDER achos pan mae hi'n dweud Cyn bo hir Mae o fel arfer yn golygu.

DDIM CYN HIR.

NEU

BYTH, beryg.

Mae Mam yn dweud wrtha i ETO

Dwi'n addo prynu mwy, Twm.

(Dwi ddim yn ei choelio.)

Pe bawn i HEB gymryd CYN hired i 😞 benderfynu, fyddai DIM o hyn wedi digwydd.

Dwi'n cymryd fy **AIL** hoff ddewis (Crispis Coco) a'u rhoi

mewn powlen cyn iddyn NHW gael eu dwyn hefyd.

"BWYTA neu byddi'n hwyr i'r ysgol!" meddai

Mam wrtha i. Dwi'n dweud mai dim ond

PEDWAR paced sydd gen i ar ôl rŵan.

Tri paced, Twm
- dwi wedi rhedeg
allan o fiwsli,

meddai Mam wrth helpu ei hun i'r **creision ŷd**

(sy'n poeni dim arna i).

OND FI pia'r RHAIN.

Dwi'n rhoi'r pacedi OLAF yn fy mag ysgol er mwyn

eu cadw'n saff a dwi ar fin gadael pan mae Mam yn

GWEIDDI,   TWM! Wyt ti wedi
anghofio rhywbeth?!

 Dos i frwsio dy ddannedd, wnei di? (Yh-oh!)

Gobeithio nad ydi hi wedi gweld (Ffiw!)

y grawnfwyd yn fy mag.

Dwi'n brwsio fy nannedd, 😁 a phan dwi'n dod yn ôl dydi Mam ddim yn dweud gair. Mae hi'n brysur yn siarad efo Dad am yr hyn 'dan ni'n mynd i'w wneud ar y penwythnos.

"DIM. Pam, be sy'n digwydd?" meddai Dad gan edrych yn ddryslyd.

Dydan ni ddim yn gwneud *DIM BYD?*

Na

Dydan ni heb gynllunio dim ar gyfer y penwythnos yma NA'R nesa chwaith?

gofynna Mam ETO. Dwi ar fin gadael pan mae hi'n ychwanegu,

Joia dy ddiwrnod, Twm.

Ond ddim mewn ffordd JOLI. Wna i drio.

Fel dwi'n cerdded allan o'r drws, mae Delia'n CHWALU fy ngwallt efo'i llaw.

"Diolch am y brecwast, frawd bach. Cofia, mae rhannu'n beth DA," meddai.

Dwi ddim yn siŵr os ydi hi'n ei feddwl o.

14

Ar y ffordd i'r ysgol...

"Be sy'n bod ar dy wallt?" gofynna Derec.

"Delia wnaeth. Mae hi wedi bod yn mynd ar fy nerfau DRWY'R bore." Dwi'n dweud wrth Derec am y ffordd wnaeth hi DDWYN fy ngrawnfwyd.

"Dwi wedi dod â'r gweddill efo fi rhag ofn iddi FACHU rheini hefyd. Ella gwna i GUDDIO popeth yn fy llofft o hyn ymlaen."

"Ti'n lwcus. Mae beth bynnag dwi'n guddio yn cael ei ffeindio a'i fwyta gan Rŵstyr," meddai Derec.

(Sy'n wir, dwi wedi'i weld o.)

Mae fy llofft i fymryn yn flêr ar y funud, felly mae cuddio pethau yn HAWDD.

Dod o hyd i bethau sy'n anodd.

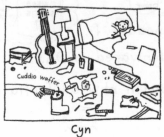

Cuddio waffer

Cyn

Lle mae fy waffer?

Ar ôl

Dwi a Derec yn cerdded yn GYFLYM

i'r ysgol er mwyn gwneud yn siŵr na fyddwn ni'n

hwyr, pan mae o'n sôn,

Gen i rywbeth i ddeud wrthat
ti am dad Heulwen.

(Heulwen ydi'r ferch drws nesa sy'n mynd i'n

hysgol ni ac sy'n bach o boen. Roedd ei thad

yn arfer bod mewn BAND o'r enw CWPAN BLASTIG.)

Dwi'n gofyn, "Be amdano fo?" Ond mae Derec yn dechrau TAGU ac

yn methu siarad. Be amdano fo? meddaf

fi eto, ar ôl i Derec STOPIO tagu.

"Ti'n gwbod sut mae FY nhad i wrth ei fodd fod

tad Heulwen wedi bod yn CWPAN BLASTIG?"

YDW. Mae o'n ffan ENFAWR,

Tad Derec

Dwi
ffa

CWPAN
BLASTIG

meddaf fi.

Mae Derec yn cytuno ac yn dynwared ei DAD.

"Mae o'n cadw i ddeud, 'Dylen nhw ailffurfio a

gwneud record NEWYDD.'"

16

Dwi'n atgoffa Derec, "Roedd yr albwm **CWPAN BLASTIG** yna wnaethon ni wrando arno y diwrnod o'r blaen yn *'WYCH!'*

(Mae'n **WIR**. Ges i **SYRPRÉIS**.)

"Wel, gwnei di fyth goelio be wnaeth Dad."

Dwi'n **CHWILFRYDIG**. BETH?

"Aeth o i DŶ HEULWEN yn gwisgo CRYS-T **CWPAN BLASTIG** a deud wrth ei thad am wneud **RECORD NEWYDD!**"

Record - newydd

Be?

CYWILYDD.

"A wnes i ddarganfod rhywbeth arall ..."

Beth?

"Dywedodd Dad bod yr albwm **CWPAN BLASTIG** ro'n ni'n gwrando arno WERTH **LLWYTH** o ARIAN.

Go iawn?

"OND dim os ydi o heb gael ei grafu NEU ei dorri."

O ... meddaf fi, am reswm da ...

17

... achos dwi newydd gofio beth wnaethon ni yn ystod ein ymarfer band diwethaf.

(Wps.)

DOSBARTH

Dwi'n eistedd wrth fy nesg wrth ymyl Carwyn Campell, sy'n *PWYSO* 'nôl oddi wrtha i'n syth. Y peth cynta mae o'n deud ydi,

Sgen ti mo'r **BYG**, nag oes, Twm?

"Pa fyg?"

"Mae yna lwyth o blant yn tagu ac adre'n SÂL a dwi ddim eisiau dal dim byd achos mae hi'n wythnos BWYSIG i mi."

"Pam?"

Mae Carwyn yn ROWLIO ei lygaid fel petawn i wedi gofyn cwestiwn hynod dwp. "Ti ddim yn cofio DIM BYD, Twm?" Yna mae Efa Parri yn eistedd yr ochr arall i mi ac yn dweud, "Mae **DIWRNOD Busnes** yr ysgol cyn hir a 'dan ni i fod i feddwl am **SYNIADAU**."

Dwi'n gwbod hynny.

(Do'n i ddim.)

19

"Gen i syniad {GWYCH}, a fy ngrŵp i neith godi'r mwya o arian." Mae Carwyn yn swnio yn hynod bositif ac AWYDDUS, sy'n gwneud i mi feddwl tybed beth yw ei syniad {GWYCH}.

Felly dwi'n gofyn iddo.

"Dim peryg, Twm. Dwi'm yn deud wrthat ti. Rhag ofn i ti DDWYN fy syniad."

"Mae gen i fy syniadau fy HUN, Carwyn. Dwi ddim angen dy rai di," meddaf fi.

GAWN NI WELD ... meddai Carwyn.

← Smyg

Bob blwyddyn, mae plant ein hysgol ni yn codi arian at elusen drwy werthu'r pethau maen nhw wedi'u creu. Mae rhai pethau'n fwy POBLOGAIDD na'i gilydd.

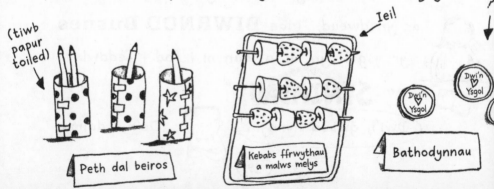

(tiwb papur toiled)

Iei!

Peth dal beiros

Kebabs ffrwythau a malws melys

Bathodynnau

Dwi'n ♥ Ysgol

Dwi'n ♥ Ysgol

Chawn ni ddim gwerthu FFERINS na DIODYDD SWIGOD OND ...

mae CACENNAU cartref  bob amser yn boblogaidd.

 Yn enwedig efo FI!

Mae Mr Ffowc yn eistedd wrth
ei ddesg rŵan ac yn dweud,

"TAWELWCH, dosbarth 5C."

TAGU!
TAGU!
TAGU!   Yna mae o'n dechrau TAGU!

Y peth cynta dwi'n sylwi arno ydi NAD ydi
Mr Ffowc yn edrych fel fo'i hun.
Mae o'n edrych fymryn yn ... LLWYD

"BORE DA, BAWB."

"Bore da, Mr Ffowc," medda pawb.

Nid Mr Ffowc ydi'r unig un sy'n tagu.

Dwi'n troi rownd i weld pwy sydd wrthi.

TAGU! TAGU!

Mae nifer o'r plant yn ABSENNOL ond mae Norman yma felly dwi'n CODI LLAW. "💥" Mae o'n gwneud i mi Ha! Ha! chwerthin drwy wisgo ei sbectol mewn ffordd od. Mae Mr Ffowc yn dechrau galw'r gofrestr, a rhwng enwau mae o'n dweud, **"Fel y gwelwch, dydi pawb ddim yma oherwydd y BYG, felly ella bydd rhaid i mi aildrefnu'r grwpiau ar gyfer y DIWRNOD Busnes."**

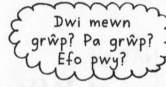

Dwi mewn grŵp? Pa grŵp? Efo pwy?

? .... Hyh?

SUT nad ydw i'n gwbod am hyn?

"Dwi'n GOBEITHIO bod gennych chi SYNIADAU da ar gyfer codi arian eleni."

"Mae gen i"

mae Carwyn yn mwmial.

"Mae gennych ychydig mwy o ddyddiau i hel syniadau. Gadewch i mi weld os ..."

TAGU! TAGU! TAGU!

Mae Mr Ffowc yn rhoi ei law DROS ei geg i geisio STOPIO tagu. Caiff ei achub pan mae'r gloch yn canu ar gyfer y gwasanaeth.

Mae mwy o DAGU yn y neuadd hefyd.

Mae Mr Preis (ein prif athro) yn sefyll o flaen pawb ac yn dweud,

> Mae hi'n edrych fel bod yna FYG yn mynd o gwmpas yr ysgol. Dydym ni ddim eisiau iddo ledaenu, felly os oes yna unrhyw un yn teimlo'n sâl neu'n tagu'n ddrwg, plis dywedwch wrth eich rhieni a'ch gofalwyr i'ch cadw adre.

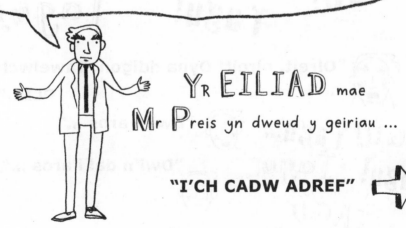

Yr EILIAD mae Mr Preis yn dweud y geiriau ...

"I'CH CADW ADREF" ➡

MAE PAWB YN DECHRAU TAGU

(neu FEL YNA mae o'n SWNIO).

TAGU! TAGU! Tagu!
Tagu! Tagu!

"Olreit, olreit! Dyna ddigon. Tawelwch PLIS."

TAGU! Tagu... "Dwi'n aros ..."

Tagu! Tagu... "Dwi'n dal i aros ..."

TAGU...

Tagu! Tagu! Tagu... Tagu... Tagu...

TAGU!

24

Mae'r tagu yn stopio ac mae Mr Preis yn dechrau siarad eto. Er 'mod i'n teimlo'n hollol iawn; does gen i ddim **BYG** a dwi ddim yn **tagu,** mae cael fy amgylchynu gan blant sy'n **tagu** yn gwneud i mi fod eisiau **tagu!** Mae fy ngwddw wedi mynd fymryn yn sych ac mae'n COSI. Pan mae Mr Preis yn dechrau siarad eto, mae'r COSI yn GWAETHYGU.

Dwi'n ceisio 'ngorau i beidio **tagu.** Mae **Mr F**fowc yn SYLLU arna i achos dwi methu aros yn llonydd.

shhh

TAGU! TAGU! TAGU!

Yna mae Carwyn yn rhoi proc i mi ac yn dweud, "Shhhhhhhh."

Rhywsut dwi'n llwyddo i gadw pethau dan reolaeth tra bod **Mr P**reis yn cyhoeddi, **"Mae yna blant clyfar iawn o Blwyddyn 3 wedi ennill cystadleuaeth farddoniaeth. Maen nhw'n mynd i ddarllen eu cerdd fuddugol rŵan. Felly GWRANDEWCH yn astud. Dim mwy o dagu, a gadewch i ni roi CYMERADWYAETH iddyn nhw!"**

25

Yn sydyn reit, mae fy NGWDDW yn mynd yn **BONCYRS**. Mae'r sŵn "CLAPIO" uchel yn cuddio sŵn y tagu wrth i mi geisio clirio fy ngwddw.

TAGU!
Tagu! Tagu...

TAGU!

Mae'r ysgol I GYD yn HYNOD dawel wrth i'r plant ddechrau darllen eu cerdd (efo symudiadau ac effeithiau sain).

Gallech glywed PIN

YN DISGYN.

"Mae canghennau'n plygu a GRIDDFAN yn araf."

GRIDDFAAAN

"Sylla'r BACHGEN I FYNY ar yr awyr OER, las ac OCHNEIDIO."

OCHNEIDIOOO

(Dydi'r darn yna ddim yn y gerdd – ond alla i ddim stopio.)

Mae'r plant o fy nghwmpas wedi SYMUD o'r ffordd fel gall yr athrawon weld pwy sy'n gwneud y SŴN.

Mae PAWB yn syllu arna i. Dydi Mr Preis ddim yn edrych yn hapus o gwbl.

Mae Mr Ffowc yn amneidio'n FFYRNIG arna i i adael y neuadd. Brysia! **"Cymer ddiod o ddŵr, Twm,"** crawcia wrth i mi gerdded heibio'n simsan gan dagu.

Y NEWYDDION DA YDI bod y dŵr yn gweithio a dwi'n IAWN rŵan. ☺

Mae hi'n gerdd hir sydd fel ei bod hi'n mynd 'mlaen am BYTH. Felly dwi'n manteisio ar y cyfle i EDRYCH ⊙͡⊙ ar hysbysfwrdd yr ysgol.

Mae yna nodyn am **DDIWRNOD Busnes** yr ysgol. Ac mae llun **Mr Ffowc REIT** drws nesa i'r newyddion am DRIP yr ysgol i'r SW. Ha! ha! Mae llygaid **Mr Ffowc** yn edrych fel llygaid lemwr.

HYSBYSFWRDD YSGOL CAE DERWEN

'Dwi'n dal i chwerthin am ben y llun pan ddaw fy nosbarth allan o'r neuadd. Dwi'n ei ddangos i Caled a Norman sy'n meddwl ei fod yn ddoniol hefyd.

Ond yn ôl wrth fy nesg, mae Carwyn yn dweud,

> Nest ti ddeud nad oeddat ti'n SÂL!

"Dwi DDIM. COSI oedd gen i yn fy ngwddw."

"Wel, rhag ofn, dwi'n mynd i GADW ALLAN o dy ffordd."

Sy'n fy siwtio I I'R DIM.

Wrth i Mr Ffowc ddechrau'r wers mae yna ddarn o bapur gwag ar fy nesg i sydd WIR angen ei lenwi.

Fel HYN...

(Dwi wedi cael fy ysbrydoli gan lwyth o bethau.)

Anifeiliaid sy'n edrych fel athrawon

Ha!

Arth flewog

Wrth 'mod i'n tynnu llun — dwi'n cadw LLYGAD ar **M**r **F**fowc, sy'n sefyll o flaen y dosbarth ac yn siarad mewn LLAIS ARAF **I**AWN.

"Iawn, DDOSBARTH 5C – mae gennym ni LAWER o waith i'w wneud ond bydd o I GYD yn HWYL!"

Dwi DDIM wedi fy argyhoeddi — am y busnes "HWYL" yma, achos dydi **M**r **F**fowc ddim yn edrych fel petai o'n mwynhau ei hun, ac mae O'N gwybod beth 'dan ni'n mynd i fod yn ei wneud. ← (Ddim yn joli)

Mae Efa a Caled yn helpu i ddychwelyd ein ‖ llyfrau Cymraeg ‖ sydd wedi'u marcio, ynghyd â thaflen waith heddiw, sy'n dwyn y teitl: ↘

CHWEDLAU A STRAEON TYLWYTH TEG.

Dwi ddim yn darllen y DUDALEN GYFAN achos dwi'n HYNOD **A**WY**DD**US i weld beth mae **M**r **F**fowc wedi'i **sgwennu** yn fy ‖ llyfr Cymraeg ‖ am fy ngwaith cartref. ▭⇒

Roedd yn rhaid i ni sgwennu adroddiad mewn arddull erthygl BAPUR NEWYDD am rywbeth oedd wedi digwydd i ni. Wnes i sgwennu am GIG cynta y CŴN SOMBI yng NGHARTREF HENOED MACHLUD MAWR, oedd yn syniad da. Sgwennais i bethau fel hyn:

BAND GWYCH YN ROCIO CARTREF HENOED

Llwyddodd Norman Watson (9 oed), drymiwr y BAND GWYCH CŴN SOMBI i SGLAFFIO mynydd o fisgedi cyn eu gig cyntaf.

Gallai'r HOLL siwgr aeth i'w waed fod wedi achosi trychineb. Ond llwyddodd Norman i BARHAU i ddrymio – er iddo ddrymio'n GYNT na'r arfer.

Dywedodd Vera, 😐 (101 oed), preswylydd hynaf MACHLUD MAWR, fod y band yn swnio yn llawer gwell pan oedd hi'n DIFFODD ei theclyn cymorth clyw.

"Roedd o fymryn yn rhy swnllyd i mi. 😐 Ond mae'r CŴN SOMBI yn hogiau hyfryd ac mae curiad da i'w cerddoriaeth."

Gwnaeth y mwyafrif o'r henoed eraill fwynhau cydganu efo'r band. Roedd y lle dan ei sang a dathlodd y band efo wafferi caramel a sgwash.

Ro'n i'n HYNOD hapus ☺ efo fy ADRODDIAD a dwi'n GOBEITHIO cael sylwadau **GWYCH** gan Mr Ffowc. Rhywbeth fel hyn:

Da iawn, TWM.
Erthygl WYCH ac ARDDERCHOG.
DEG seren.

GWAITH FFANTASTIG, TWM! Cymer wyliau am WEDDILL yr wythnos a sbwylia dy hun efo TRÎT ENFAWR! DEG SEREN.

NEU

Nid HYN!

Twm, mae hi'n ymddangos fod darn o dy waith ar goll. Ble mae dy adroddiad?

BETH? NA!

Wnes i dreulio OES PYS ar y darn yna o waith cartref. (Go iawn.) Does yna ddim byd gwaeth na GWNEUD GWAITH DA a'i roi i mewn yn BRYDLON, a chael  DIM SÊR.

I ble aeth o? Ella 'mod i wedi'i ollwng yn fy llofft.

NEU mae Delia wedi'i guddio achos 'mod i wedi benthyg ei **ROC NAWR.**

Dwi'n mawr obeithio bod Rŵstyr ddim wedi'i fwyta.

Ha Ha!

(Mae hynna wedi digwydd i Derec o'r blaen.)

O na, Rŵstyr!

Wna i 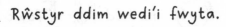 CHWILIO ar ôl mynd adre. Dwi ddim am sôn gair am fy "ngwaith cartref coll" wrth Mam, achos y cyfan ddywedith hi fydd,

Beryg ei fod o yn dy lofft FLÊR. Dyna pam bod eisiau i ti dacluso!

OCHENAID ...

Mae Carwyn yn mynnu stwffio ei lyfr o dan fy nhrwyn.

"YLI! Ges i DDWY SEREN.

Be gest ti?".

"Ges i LWYTH o sêr a sylwadau da. Mae fy adroddiad i MOR WYCH gen i gywilydd ei ddangos i ti," meddaf fi gydag argyhoeddiad.

Yna dwi'n troi i dudalen LÂN fel na all o weld y sylw am y darn o waith sy "AR GOLL." Mae Carwyn yn dal i FYSNESU tra bod Mr Ffowc yn sôn am BWNC Y DYDD.

Dwi'n gwrando, ond mae LLAIS Mr Ffowc yn mynd yn anoddach i'w ddeall.

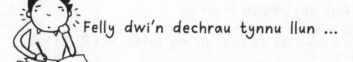

Felly dwi'n dechrau tynnu llun ... ETO.

wi'n dechrau fan hyn ...   Yna dwi'n gwneud ychydig bach mwy fan hyn →

Mae'r dŵdl yn dechrau

MYND YN FWY

Dwi'n sgwennu fy enw, TWM, yna dwi'n meddwl o am ginio. Pwy fydd yn fy ngrŵp busnes i? Yna cinio eto. Mae Carwyn yn DAL i fy ngwylio ac mae o'n PROCIO fy mraich, sy'n gweud i mi neidic

"Twm, pam ti wedi sgwennu enw Efa yn dy LYFR?"

"Beth? Dwi DDIM wedi sgwennu enw Efa."

"Do, ti wedi ... SBIA."

Mae o'n pwyntio at fy llyfr.

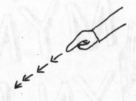

"NID dyna..."

(O ... ia. Dwi wedi.)

"DYWEDAIS I. Pam wyt ti'n sgwennu ei henw hi, Twm?" (Ro'n i'n meddwl am BWY fyddai yn fy **ngrŵp busnes** i, dyna i GYD.)

Ond dwi ddim yn DWEUD hynny achos yn ffodus, dwi'n cael BRÊNWÊF a dwi'n SIBRWD, "Shhhh ... dwi ddim eisiau i Mr Ffowc glywed. Ella bod o'n edrych fel 'mod i wedi sgwennu 'EFA' ond dwi ar fin ei droi'n 'ANGHENFIL'.

Mae Carwyn yn dweud, "Ie, REIT," fel fod o ddim yn fy nghredu.

Felly dwi'n dweud, "Gwylia hyn, wna i ddangos i ti sut i droi 'EFA' (y gair) yn 'ANGHENFIL'."

Yna mae EFA yn troi ac yn dweud, "Wyt ti newydd fy ngalw i'n anghenfil?"

NA, dim ti!

(Dydi hyn ddim yn gweithio o GWBL.)

Dwi'n troi fy llyfr rownd a throi ei henw yn greadur OD yr olwg tra bod Efa yn gwylio.

Fel hyn

"Mae hynna yn eitha doniol," meddai Efa, gan edrych ar fy llun a cheisio peidio chwerthin.

Sy'n gwneud i MI chwerthin ... (Ond ddim am hir.)

Mae **Mr Ffowc** yn CRAWCIAN.
**"Canolbwyntiwch ...
y ddau ohonoch."**

Tagu...

Dwi'n rhoi fy mhensel i lawr yn SYTH a dechrau ASTUDIO fy nhaflen waith. "Iawn, syr."

Mae  yn canolbwyntio ar ei thaflen hi hefyd.

Yr eiliad mae o'n mynd, dwi'n cydio yn fy mhensel ac yn gwneud dŵdl ENW arall.

Mae HYN yn fwy o **HWYL** nag ro'n i'n feddwl!

Enw pwy ARALL wnaiff ANGHENFIL DA?

Hmmmmm? Gadwch i mi weld.

Mae'n amlwg a dweud y gwir.

Hmmmm

Beth?

CARWYN

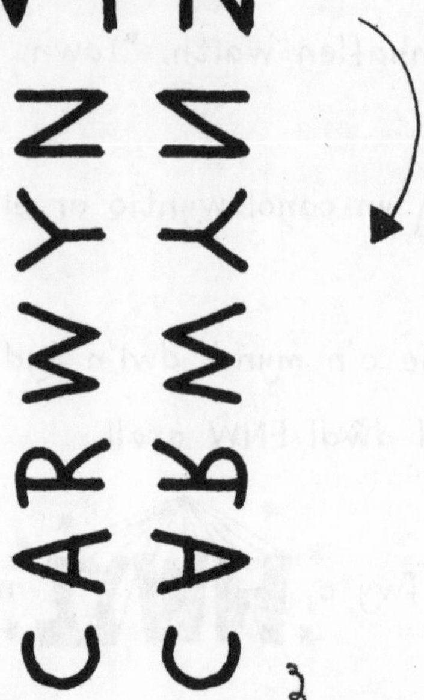

CARWYN

NYWRAC

Tynnwch
lun o'r
llythrennau
fel hyn
(siapiau
wedi'u
hadlewyrchu)

↓

Yna ychwanegwch

ddarnau DONIOL!

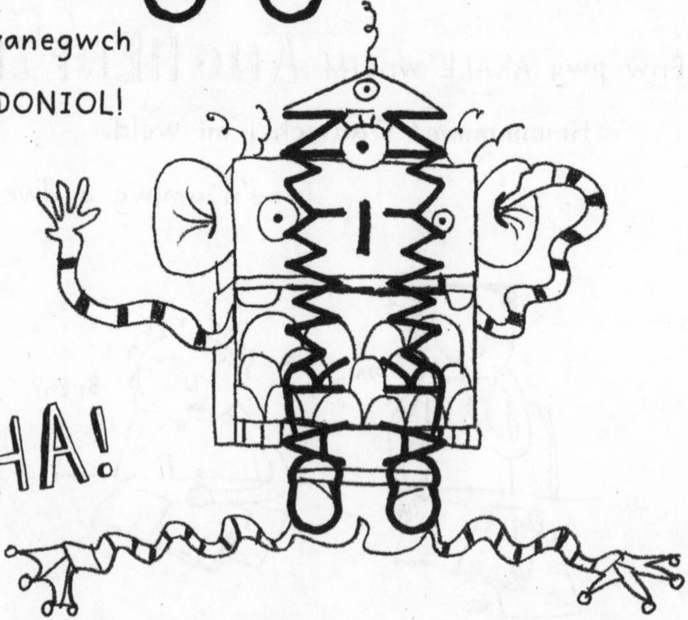

HA!

Ha! HA!

Mae heddiw wedi bod yn ddiwrnod eitha **DA** wedi'r cyfan. Fel rhan o'n gwers GELF, 'dan ni wedi cael y **LLYFR BRASLUNIO** ↘ **GWYCH** hwn!

Mae yna daflen waith hefyd, sy'n egluro beth 'dan ni i fod i'w ARLUNIO ar gyfer y prosiect yma.

Felly dwi'n cymryd sbec ...

LLYFR BRASLUNI

Y PWNC CELF AR GYFER DOSBARTH 5C

YSTUMIAU MYNEGIANT
POBL AC ANIFEILIAID

Y tymor yma fe fyddwn ni'n astudio ystumiau mynegiant. Felly, gan ddefnyddio eich beiros, pensiliau a phaent, hoffwn i chi lenwi eich llyfr braslunio efo cymaint o YSTUMIAU MYNEGIANT a allwch chi.

Gallwch wneud hunanbortreadau drwy edrych arnoch chi eich hun yn y drych a braslunio'r hyn a welwch. Ond yn well fyth, tynnwch luniau o fywyd go iawn a'r pethau welwch chi o'ch cwmpas.

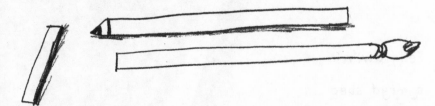

Tynnwch luniau pobl neu anifeiliaid i ddangos gwahanol ystumiau mynegiant – a MWYNHEWCH!

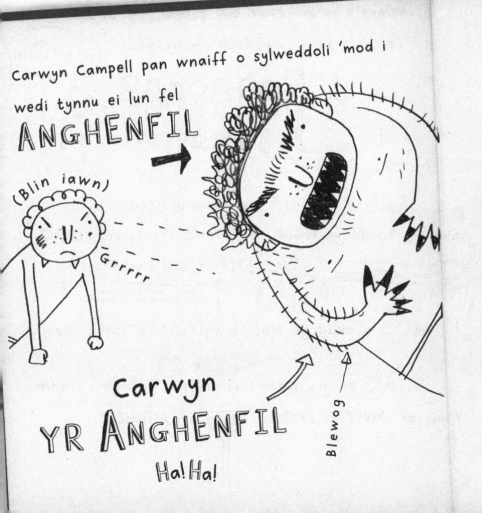

Dwi wedi ailfeddwl am y ffaith bod HEDDIW yn ddiwrnod ☺ DA achos roedd amser cinio yn DDIFRIFOL. Aeth <u>llawer</u> o bethau o chwith.

☹ I DDECHRAU:

1. Wnes i ymuno efo'r ciw ANGHYWIR i ginio. (Wnes i ddim sylweddoli am hydoedd.)

Rymbls, bol 🎵

Ciw y clwb gwaith cartref!

Cinio →

2. Yna wnes i ymuno efo'r ciw cywir ond roedd y BWYD DA i gyd wedi mynd.

3. Roedd yn rhaid i mi ddewis rhwng cig LLWYD AFIACH NEU bastai lysiau.

Pys | Dim salads | Cig LLWYD AFIACH | PASTAI lysiau

← Ges i bastai lysiau

4. ... a oedd yn blasu mwy fel STWNSH llysiau.

5. AC am na wnes i ei orffen, doeddwn i ddim yn cael MWY O BWDIN. Am ANNHEG.

6. Yna i GORONI'R cyfan, wnaeth y plant bach fy nghuro i wrth chwarae TSIAMP – ETO.
(Ro'n i'n trio fy ngorau hefyd.)

methu

Hyh!

Lŵsyr!

Felly dwi'n ôl yn y dosbarth yn ystyried pam 'mod i'n cael diwrnod mor **WAEL**, pan dwi'n sylweddoli bod rhywun arall yn eistedd wrth ddesg **Mr F**fowc.

MRs MWMBWL YDI HI,

(sy'n dipyn llai na **Mr F**fowc).

Mrs Mwmbwl

Helô, Dosbarth 5C. Mae'n DDRWG gen i ond mae Mr Ffowc wedi gorfod mynd adre achos dydi o ddim yn teimlo'n dda iawn. ~ Tagu! Tagu!

Dywedodd rhywun, "IEI!" fymryn bach yn rhy 'UCHEL.' ➤ (Bryn Siencyn)

Mae o'n edrych dros ei ysgwydd gan smalio nad fo wnaeth. ELLA byddai hynny wedi gweithio petai Jenni Jones wedi bod yn eistedd yno. (Mae hi'n absennol hefyd.)

CADAIR WAG

Meddai Mrs Mwmbwl yn ei LLAIS BLINE.

Sgen ti rywbeth arall i'w ddeud, BRYN?

"Nac oes, Mrs Mwmbwl."

Wna i gario ymlaen 'ta. Nes bod Mr Ffowc yn well, bydd rhywun  bwysig yn cymryd eich gwersi heddiw. Tydych chi'n LWCUS?

(Hmmmmm ... mae hynny'n dibynnu ar bwy ydi o neu hi.)

Mae Mrs Mwmbwl yn gafael yn y daflen waith ar ddesg **Mr F**fowc.

 "CHWEDLAU A STRAEON TYLWYTH TEG.

Am bwnc difyr. Dwi'n ♡ CARU straeon tylwyth teg. Oes gan unrhyw un ffefryn?"

Mae Angharad yn codi ei llaw.

"Pwy sy'n ein dysgu ni heddiw, Mrs Mwmbwl?" Sydd ddim yn union beth roedd hi'n ei ofyn.

"Wel, gewch chi weld rŵan achos dyma ..."

Mae'r drws yn dechrau agor a 'dan ni i gyd yn SYLLU wrth i ...

Mr Preis, ein PRIFATHRO, gerdded i mewn.

"Helô, Dosbarth 5C. Dwi wedi cael cymaint o SYRPRÉIS â chi 'mod i yma!"

Hyh?

(Errrrr ... dwi ddim yn meddwl.)

Yna mae Mrs Mwmbwl yn dweud,

"Mae'r dosbarth HYFRYD yma'n barod i weithio'n GALED iawn i chi, Mr Preis."

(D I S T A W R W Y D D .)

Mae o'n cario pentwr ANFERTH

o bapur nad ydw i'n hoffi ei olwg.

Gen i hen deimlad annifyr mai gwaith cartref YCHWANEGOL i ni ydi o. A beryg cawn ein cadw ar ôl os wnawn ni mo'i orffen i GYD.

Dydi'r wers hon ddim hyd yn oed wedi DECHRAU eto a dwi DDIM yn ei mwynhau.

Mae Mr Preis yn dechrau drwy ddweud wrthon ni,

"Byddwch yn FALCH o glywed bod Mr Ffowc wedi gadael gwaith i chi ei wneud tra bod o ddim yma."

(Dwi ddim yn falch)

Sblych

Dwi'n griddfan dipyn bach – ond ddim yn rhy uchel, achos dwi ddim eisiau mynd i drwbwl.

 "GADWCH I NI DDECHRAU, IA?"

ychwanega Mr Preis yn hapus.

 Gen i hen deimlad ANNIFYR mai hon

fydd y wers WAETHAF YN Y BYD.

Bydd POB munud yn teimlo fel awr.

rhincian

Bydd pob AWR yn teimlo fel BLWYDDYN GRON. (Ocê, dim ond DIWRNOD ella – ond wnaiff hi gymryd OES PYS.)

Bydd Mr Preis yn DDI-FFLACH a diflas.

Dwi'n gwybod hynny.

(Os aiff pethau'n rhy

ddiflas, ella bydd rhaid i mi

ddechrau TAGU eto.)

Bla Bla
Bla Bla

Tagu...
Tagu...

SBLYCH!

Dwi'n troi at dudalen lân NEIS a pharatoi i ddŵdlo. Bydd hyn yn fy nghadw i'n ddiddan yn ystod gwers H I R a diflas Mr Preis.

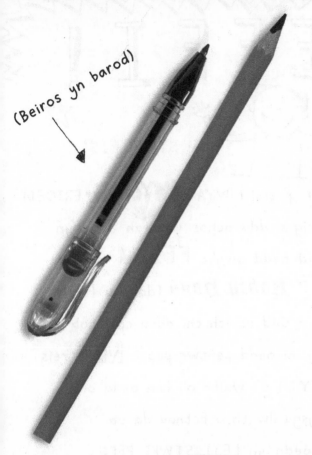

(Beiros yn barod)

Bydd o'n edrych fel 'mod i'n cymryd NODIADAU ac yn canolbwyntio, felly wna i ddim mynd i drwbwl, gobeithio.

Ffwrdd â fi. Dylyfu gên ...

IEEEI!

AM SYRPRÉIS!

DYNA yn un o'r gwersi MWYA *HWYLIOG* ERIOED!
Roedd hi'n arbennig o dda achos y cyfan oedd yn
rhaid i ni ei wneud oedd gwylio FFILM am
Robin Hood (ddim y fersiwn
gartŵn – ond allwch chi ddim cael bob dim).
A dim ar ein cyfer ni oedd pentwr papur Mr Preis
yn y diwedd. LLWYTH o'i waith o'i <u>hun</u> oedd o.

Wnes i ddysgu llwyth o bethau da am
Robin Hood (oedd yn LEJ). STWFF FEL:

Het → ffansi

Arian →

Gwyrdd

* DILLAD GWYRDD oedd o'n wisgo fel
arfer ac roedd ganddo het
ffansi efo pluen.
* Roedd o'n un da efo bwa a saeth.
* Roedd o'n rhoi arian y bobl
gyfoethog i'r tlodion. Tebyg iawn i Twm Siôn Cati!

54

* Doedd y bobl gyfoethog ddim yn ei hoffi, felly doedden nhw ddim yn hapus iawn).

(Dyn anhapus iawn).

Pwy fasa'n meddwl y byddai Mr Preis wedi gweud ein gwers **CHWEDLAU A STRAEON TYLWYTH TEG** MOR DDIFYR?

(Ddim fi, yn bendant.)

Er, roedd yna UN broblem fach efo'r wers. Penderfynodd Mr Preis symud ei ddesg fel gallai PAWB yn y dosbarth weld y sgrin deledu yn well. PAWB hynny ydi, HEBLAW FI.

(PEN Mr Preis → yn y ffordd)

Doeddwn i ddim eisiau gwneud FFWS rhag ofn iddo *wthio'i* ddesg hyd yn oed yn NES at fy un i. Felly penderfynais ddefnyddio fy MAG ysgol fel CLUSTOG ac eistedd arno fel gallwn WELD dros ei ben.

Roedd o'n gynllun DA.

Bag →

(55)

Ond am ryw reswm, doedd fy mag ddim yn gyffyrddus. Roedd yn rhaid i mi SYMUD o gwmpas DIPYN  er mwyn setlo. Roedd hi'n teimlo fel 'mod i'n eistedd ar gwpwl o LYFRAU. Felly wnes i neidio i fyny ac i lawr, wnaeth helpu.

sgwash

Dyna welliant

Dim ond pan ddes i adre o'r ysgol wnes i gofio beth ro'n i wedi'i roi yn fy mag i'w gadw'n SAFF.

O ... dim llyfrau.

Mae yna RAWNFWYD wedi'i sgwasho ym mhobman, sy'n egluro'r sŵn crensian roedd Derec yn gallu ei glywed bob cam adre.

Crensian

Beth ydi'r sŵn crensian?

Mae SYLLU ar y grawnfwyd rŵan yn fy ngwneud yn llwglyd, felly dwi'n edrych o gwmpas y gegin am rywbeth ARALL i'w fwyta, sydd heb ei SGWAŠHO.

Alla i ddim CREDU'R peth pan dwi'n gweld bod Mam wedi prynu pecyn ARALL o RAWNFWYDYDD bach.

Sy'n SYRPRÉIs MAWR.

Dwi'n helpu fy hun i becyn NEWYDD o Coco Crwn cyn i Delia ei fachu, a dwi'n ei sglaffio'n GYFLYM. IYM!

Mae o i gyd wedi mynd ... (Yn wahanol i'r grawnfwyd yn fy mag, sy'n dal yno.)

Dwi'n sortio'r LLANAST crenshlyd drwy dywallt popeth ar y bwrdd. Yna dwi'n defnyddio fy llaw i HEL y grawnfwyd yn ÔL i'r bocs gwag. Fel hyn, wnaiff Mam ddim amau 'mod i eisoes wedi bwyta paced.

Dwi'n JÎNIYS!

(Gwir)

Ond dydi bod yn JÎNIYS ddim yn fy helpu i ddod o hyd i fy mhyjamas coll. Dwi'n eu ffeindio yn y diwedd ...

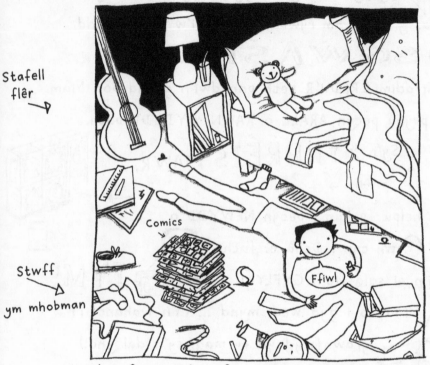

Stafell flêr

Comics

Stwff

ym mhobman

Ffiw!

... o dan fy ngwely, efo pentwr MAWR o gomics ro'n i wedi anghofio amdanyn nhw. A waffer caramel oedd wedi hanner ei bwyta – sy'n GANLYNIAD! Dwi'n LWCUS bod gen i stafell wely i mi fy hun. Mae rhai o fy ffrindiau yn gorfod rhannu efo'u brawd neu chwaer (fel Norman Watson).

Mae Marc Clwmp yn cadw llwyth o greaduriaid ac anifeiliaid anwes yn ei stafell. Dwi eisiau anifail anwes

ond mae gan Delia ALERGEDD i'r rhan fwya o ANIFEILIAID, felly beryg na ddigwyddith hynny BYTH.

Os ydi hi yng nghwmni CATH neu GI am gyfnod hir, mae hi'n dechrau TISIAN, Dos o'ma sy'n ei gwneud hi'n fwy blin byth.

Mae'r un peth yn digwydd i mi os ydw i yng nghwmni Delia am gyfnod hir. (Dim y tisian, jyst bod yn flin.)

Dwi wedi gofyn DROEON i Mam a Dad os ca i anifail anwes ac maen nhw WASTAD yn dweud yr un peth.

> Sori, Twm, allwn ni ddim cael anifeiliaid anwes oherwydd Delia.

Maen nhw'n awgrymu 'mod i'n cael PYSGODYN AUR. Ond dydi gwylio pysgodyn yn nofio i fyny ac i lawr ddim yn gyffrous iawn. Heblaw 'mod i'n cael mwy nag un.

Yna baswn i'n eu HYFFORDDI

i gyd i wneud triciau a chael rasys.

Basa hyn mor CŴL.

Yr agosaf dwi wedi dod at gael fy ANIFAIL ANWES

fy hun ydi mynd a Rŵstyr am dro efo Derec.

Weithiau 'dan ni'n chwarae gemau yn yr ardd hefyd.

Mae Derec wedi bod yn TRIO dysgu ychydig o

DRICIAU i Rŵstyr. Erbyn hyn mae o wedi dysgu:

('Dan ni'n dal i ymarfer hwnna.)

Baswn i'n hapus DRWY'R AMSER pe
bai gen i gi oedd yn gallu DAWNSIO.

Mae gan Heulwen  (sy'n byw drws nesa i mi)
gath o'r enw Rheinallt. Mae o'n DIPYN mwy
cyfeillgar rŵan nag oedd o – sy ddim yn anodd
iawn. (Mae Heulwen rywbeth yn debyg.)

Y diwrnod o'r blaen, daeth Rheinallt i'n
gardd ni ac roedd o eisiau i mi roi mwythau iddo,
sydd heb ddigwydd o'r blaen. Gwelodd Mam o drwy
ffenest y gegin ac aeth hi'n $\mathsf{BANANAS}$!
Rhuthrodd allan gan chwifio ei breichiau a GWEIDDI

SHŴ! SHŴ!

nes neidiodd Rheinallt yn ôl dros y ffens.

"Paid ag annog y GATH yna i ddod i'n gardd ni, Twm," meddai Mam. Yna pwyntiodd at goesennau gwyrdd heb DDIM blodau arnyn nhw. "Mae o wedi bod yn cnoi a DIFETHA fy mlanhigion i. O O EDRYCH ar fy ngwely blodau i!"

Doedd Mam ddim yn hapus. "Rhaid bod y GATH yna," meddai, gan bwyntio at Rheinallt y tro hwn, "wedi SLEIFIO i'n gardd ni a BWYTA fy mlodau! Mae o'n BOEN BLEWOG!" meddai Mam yn flin. Gall Rheinallt fod yn niwsans weithiau.

Iowwwww!
Iowwwww!

Ond ddim fo wnaeth fwyta'r blodau, achos dwi'n gwybod beth ddigwyddodd

GO IAWN.

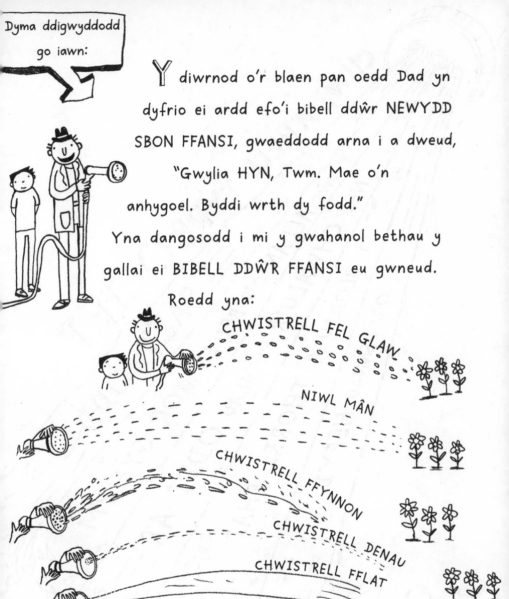

Dyma ddigwyddodd go iawn:

Y diwrnod o'r blaen pan oedd Dad yn dyfrio ei ardd efo'i bibell ddŵr NEWYDD SBON FFANSI, gwaeddodd arna i a dweud, "Gwylia HYN, Twm. Mae o'n anhygoel. Byddi wrth dy fodd."

Yna dangosodd i mi y gwahanol bethau y gallai ei BIBELL DDŴR FFANSI eu gwneud. Roedd yna:

CHWISTRELL FEL GLAW

NIWL MÂN

CHWISTRELL FFYNNON

CHWISTRELL DENAU

CHWISTRELL FFLAT

Ac wrth iddo ffidlan efo trwyn y beipen, fe wnaeth ei throi ar ddamwain i:

CHWISTRELL TYRBO-JET SAETHODD Y DŴR ALLAN O'R BEIPEN MOR GYFLYM NES CHWALU'R PETALAU ODDI AR Y BLODAU A THORRI RHAI O'U PENNAU HEFYD.

Dim ond ychydig eiliadau gymerodd hi i DDIFETHA y gwely blodau i gyd.

Aeth Dad i BANIG a gollwng y bibell. Dechreuodd honno nadreddu o le i le, gan chwistrellu dŵr i bob cyfeiriad. Roedd o'n reslo efo'r bibell fel petai hi'n NEIDR ENFAWR ac yn GWEIDDI arna i,

"DIFFODD Y TAP, TWM - RŴAN!"

Ha! Ha!

Ro'n i'n chwerthin CYMAINT nes 'mod i'n methu ei DDIFFODD.

"Y FFORDD ARALL! Y FFORDD ARALL!" gwaeddodd Dad, felly wnes i droi'r tap i'r cyfeiriad arall. Pan stopiodd y dŵr O'R DIWEDD, edrychai Dad fymryn yn damp ac roedd ei draed yn socian hefyd. Ond edrychai'r gwely blodau yn waeth.

"Bydd rhaid i mi gael mwy o flodau. Paid â sôn gair am hyn wrth dy fam," meddai Dad gan ochneidio.

Pan welodd Mam gyflwr yr ardd, rhoddodd y bai ar y GATH yn SYTH.

EDRYCHWCH BE MAE'R GATH wedi'i wneud i'r BLODAU – wedi'u cnoi yn RHACS!

Ddywedodd Dad na finnau ddim gair. Roedd o'n hapus i'r GATH gael y bai. Ond bellach mae'r blodau yna yn RHESWM ARALL pam 'mod i ddim yn cael ANIFAIL ANWES. Ochenaid ...

PE BAWN i'n cael anifail anwes baswn i'n hoffi CI.

Dim byd ENFAWR

... nag un efo  **FFWR HIR** fyddai angen ei olchi a'i frwsio o hyd. Baswn i'n datrys problem alergedd Delia drwy wneud iddi wisgo SIWT OFOD drwy'r amser.

Sy ddim yn syniad gwael beth bynnag.

Gwych!

("Un cam sarrug enfawr)

Peth arall baswn i'n ei wneud petai gen i gi fyddai ei DDYSGU i ddod o hyd i bethau i mi. MOR handi.

Dychmygwch allu dweud, "Dos i chwilio am fy hosan!"

Neu hyd yn oed, Ble mae fy NGWAITH CARTREF?

Byddai fy nghi i wedi dod o hyd i fy ADRODDIAD GWAITH CARTREF ddoe, dim problem.

Dwi wedi bod yn TRIO dod o hyd i fy adroddiad.

Ond weithiau pan ry'ch chi'n chwilio am un peth - rych chi'n darganfod rhywbeth arall.

Fel y ffolder gomics* yma wnes i OESOEDD yn ôl. Ro'n i'n methu deall i ble roedd hi wedi mynd. (Ges i'r syniad o lyfr brynodd Mam i mi o'r enw **PEIDIWCH BOD YN DDIFLAS, BYDDWCH BRYSUR!)** ☺

Ro'n i wedi anghofio pa mor dda ydyn nhw.

Fi yn edrych o
← dan fy ngwely

* Gweler dudalen 258 am sut i wneud ffolder gomics.

Mae hon y maint iawn ar gyfer fy llyfr braslunio.

Dwi'n rhoi'r ddau yn fy mag rhag i mi

anghofio mynd â nhw i'r ysgol.

(Mae yna rywfaint o rawnfwyd yn

dal i lechu yn fy mag – ond dwi'n ei anwybyddu.)

Dwi'n barod am fory rŵan. Ardderchog.

Neithiwr BREUDDWYDIAIS 'mod i wedi cael fy amgylchynu gan DYRAU ENFAWR oedd yn cadw i syrthio i'r llawr.

Pan wnes i ddeffro, roedd y PENTWR o ddillad oedd

ar droed fy ngwely wedi chwalu o 'nghwmpas i.

Gwthiais y dillad o'r neilltu a darganfod

fy adroddiad yn cuddio oddi tanyn nhw.

Cododd fy nghalon.

Felly DYNA ble oedd o!

Iei!

Dwi'n gwisgo a mynd i lawr y grisiau, lle mae Mam yn "sgwrsio" efo Dad am nifer o bethau, megis beth yw'r cynlluniau am y DDAU benwythnos nesa. Meddai Dad, "Dim byd arbennig os na chawn ni ymweliad SYRPRÉIS gan Cefin ac Alis, ond allwn ni wastad esgus ein bod ni ddim YMA."

('Dan ni wedi gwneud hyn o'r blaen.)

Meddai Mam, "Dan ni'n gwneud sêl cist car PENWYTHNOS YMA, IAWN?" Pan mae Dad yn clywed y geiriau sêl cist car dechreua feddwl am esgusodion pam ei fod o'n BRYSUR yn syth. O, dal dy afael ... ella bod ni'n brysur wedi'r cwbl. Dwi'n meddwl bod gan Twm ymarfer CHWARAEON pwysig ... neu YMARFER BAND a bydd o angen fy help i. Byddi, Twm?"

(Sy'n newyddion i mi.) Felly dwi'n dweud ...

70

"Na, does gen i ddim byd 'mlaen."

Mae Dad yn RHYTHU arna i fel petawn i wedi dweud y peth anghywir. (Ond mae o'n iawn. Mae **CŴN SOMBI** angen ymarfer mwy.)

Meddai Mam, "Mae hynna wedi'i setlo 'ta – wnawn ni GLIRIO'r tŷ ar gyfer y sêl cist car penwythnos yma. Yna allwn ni drefnu gwneud rhywbeth arall y penwythnos WEDYN."

"Grêt," meddai Dad (ond nid mewn ffordd hapus).

Dim ond ar ôl i Mam fynd i'r gwaith mae Dad yn sylweddoli pam fod Mam yn CADW gofyn beth 'dan ni'n ei wneud ar y penwythnos.

"WRTH GWRS! Mae hi'n BEN-BLWYDD ar dy fam!"

"Wnest ti anghofio?" dwi'n gofyn iddo, achos mae hi'n swnio felly.

"Naddo siŵr iawn," meddai Dad. (Ond mi wnaeth o.) Ha! Ha!

A bod yn deg, doeddwn i ddim yn cofio chwaith.

"Be ti am brynu i Mam ar ei phen-blwydd?" dwi'n gofyn i Dad.

"DIM syniad," meddai Dad, gan swnio ychydig yn desbret. Felly dwi'n trio fy ngorau i helpu.

"Mae yna RYWBETH fyddai Mam yn ei GARU."

"Be ydi hwnnw, TWM?"

"Dwi'n meddwl byddai hi'n HAPUS iawn pe baet ti'n prynu ... "

"IE?"

" ... yr anrheg ORAU ERIOED."

"Sef?"

"CI BACH."

Wff!

"Cynnig da, Twm."

(O wel, roedd hi'n werth trio.)

72

Dyma ychydig o luniau o gŵn yn fy llyfr braslunio.

LLYFR BRASLUNIO

TWM Clwyd

YSTUMIAU MYNEGIANT

Hunanbortread ohona i pe bai gen i GI

WYNEB HAPUS

Cŵn allai fod yn anifail anwes i mi

Delia pe bawn i'n cael ci

Ha! Ha! Ha!

Rheinallt (cath Heulwen) pe bawn i'n cael ci

STWFF YSGOL

Dwi wedi dod â fy ffolder **GOMICS** efo fy llyfr braslunio ynddo i'r ysgol. Ella ga i gyfle i'w defnyddio yn y dosbarth, os ydw i'n lwcus.

Mae **Mr P**reis wedi mynd yn ôl i fod yn brifathro, sy'n biti, achos ro'n i'n hoffi gwylio **FFILMIAU** yn y gwersi. YN LLE HYNNY 'dan ni wedi cael yr HOLL athrawon yma.

Mrs Tash Williams ➡

Helô Twm!

Sblych

Mrs Mwmbwl

Dim dŵdlo, Twm!

Sblych

Cywilydd

⬅ Mr Sbrocet

A **RŴAN** mae gennym ni Miss Iodel, sydd heb fod yn yr ysgol am amser hir. Mae hi i fod yn "**DDONIOL**", ond nid yn y ffordd byddech chi'n ei ddisgwyl.

S'MAI, DDOSBARTH 5C. FI YW MISS IODEL

➡

IoooDDDYLLLEIIIIIIII!

(Mae Miss Iodel ... yn iodlo.)

Y tro cynta iddi wneud hynny, caiff pawb yn ein dosbarth syrpréis. Meddai **EFA** wrtha i,

Glywis i bod hi'n gwneud hynna'n aml.

Mae Miss Iodel yn ysgrifennu ar y bwrdd gwyn gan ein hatgoffa am y **DIWRNOD Busnes.**

"MAE O CYN HIR, SY'N GYFFROUS ... IOOODDDYLLLLEIIIIIIII!"

(Mae o'n sŵn mor od.)

Yna mae hi'n dweud ym mha grŵp rydan ni cyn gwneud IODL ARALL.

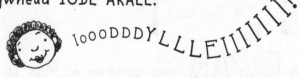

IoooDDDYLLLEIIIIIIII!

Mae Caled yn codi ei law ac yn dweud, "Ydych chi'n iawn, Miss Iodel?" sy'n gwneud i mi chwerthin.

(Dim fi ydi'r unig un.) Ond mae CHWERTHIN

Ha! Ha! Ha! am ben Caled wedi gwneud i mi anghofio PA **grŵp busnes** dwi ynddo.

Yn ffodus, mae Miss Iodel yn rhoi'r rhestr i fyny ar y wal. Felly dwi'n cymryd CIP O O slei. Dwi efo EFA, LEMIWEL, BRIALLEN, CALED a ... Carwyn. O, grêt.

(Gobeithio na fydd o'n ormod o boen.)

"EISTEDD I LAWR, TWM," meddai Miss Iodel (heb iodlo). Cyn ychwanegu, "REIT, EWCH I'CH GRWPIAU I DRAFOD EICH HOLL **syniadau busnes.** YGRIFENNWCH NHW I LAWR FEL GALLWCH DDWEUD WRTH WEDDILL Y DOSBARTH BETH FYDDWCH CHI'N EI WNEUD."

Sy'n swnio'n ddigon hawdd – heblaw pan mae Carwyn yn eich grŵp. Mae o'n cymryd drosodd o fewn pum eiliad.

Fi gynta

Sblych

"Fy syniad i yw'r GORAU. Mae o wastad yn boblogaidd a dylen ni wneud hyn cyn i rywun arall feddwl amdano."

"Be ydi dy syniad, Carwyn?" dwi'n holi.

PEINTIO WYNEBAU – MAE PAWB YN CARU HYNNY!

Dydi o ddim yn syniad **erchyll**.

"Ond dim Ond plant bach fydd eisiau cael peintio eu hwynebau," meddai Briallen.

"A dwi ddim yn un da am beintio wynebau," ychwanega Lemiwel.

"Mae o'n HAWDD. Ry'ch chi'n defnyddio **STENSILIAU** efo sbwng ac mae o'n LLAWER cyflymach hefyd. Credwch chi fi – MAE PAWB YN CARU PEINTIO WYNEBAU!"

"Dwi ddim," meddai EFA.

"PWYNT da," dwi'n cytuno.

"Dwi'n addo, mae plant yn CARU PEINTIO WYNEBAU."

"Pryd oedd y tro dwytha i TI gael peintio dy wyneb, Carwyn?" holaf.

"**W**ythnos **DWYTHA**, fel ma hi'n digwydd. Es i i'r **PARTI SOMBI**."

(O do, dwi'n cofio. )

Am ddeuddydd, daeth Carwyn i'r ysgol efo bochau oedd fymryn yn **WYRDD**. Dwi'n ei <u>ATGOFFA</u>.

"Doeddwn i ddim yn <u>WYRDD</u>," meddai o.

"Oeddet."

"Iawn, ond doedd o ddim cynddrwg â hynny."

(Roedd o.)

"Roedd **M**r **F**fowc yn meddwl dy fod ti'n **SÂL** ac ro'n i'n meddwl dy fod ti'n edrych fel dy fod wedi **LLWYDO ⇨** .."

Mae Carwyn yn newid y sgwrs ac yn dweud ...

"Oes gan rywun SYNIAD GWELL 'ta?"

Meddai **EFA** wrth bawb,

"Y stondinau bwyd sy'n gwneud orau bob amser, ond mae'r grwpiau eraill eisoes yn gwneud cacennau, felly dylen ni wneud rhywbeth arall."

"**M**ae gen i syniad allai weithio," meddaf fi.

Yna dwi'n estyn am fy FFOLDER GOMICS.

"Be ydych chi'n feddwl?"

Mae Lemiwel a Caled yn cymryd sbec,

cyn ei phasio i eFA a Carwyn.

"Am ANHYGOEL," meddai eFA wrtha i.

(Diolch, diolch.)

"Mae defnyddio comics yn syniad grêt!" meddai Briallen.

"Mae'n siŵr eu bod nhw'n ocê," meddai Carwyn

ar hyd ei ben ôl.

Pan 'dan ni'n eu dangos i Miss Iodel, mae hi'n

meddwl bod y ffolders yn ...

"YSBRYDOLEDIG!"

(Yna mae hi'n gwneud y sŵn od yna eto.)

Am weddill y diwrnod, mae Carwyn yn

cwyno am ein bod ni DDIM yn PEINTIO WYNEBAU!

Felly dwi'n awgrymu y dylem BEINTIO ei

WYNEB o i ddenu'r plant i brynu ffolders comics. Dydi

o ddim yn rhy frwdfrydig. Felly dwi'n tynnu llun rhai

enghreifftiau iddo yn fy llyfr braslunio. Dim ond syniad.

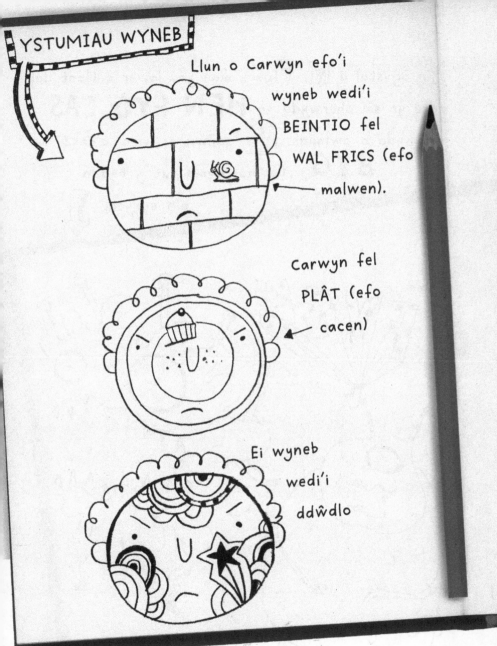

YSTUMIAU WYNEB

Llun o Carwyn efo'i wyneb wedi'i BEINTIO fel WAL FRICS (efo malwen).

Carwyn fel PLÂT (efo cacen)

Ei wyneb wedi'i ddŵdlo

(Dydi o'n dal ddim yn rhy hapus.)

Yn ogystal â Mr Ffowc, mae yna lawer o blant dal adre yn sâl oherwydd yr **HEN FYG CAS** yna sydd o gwmpas. Pe gallwn ni weld 👁️ y **BYG**, ella mai dyma sut y byddai o'n edrych.

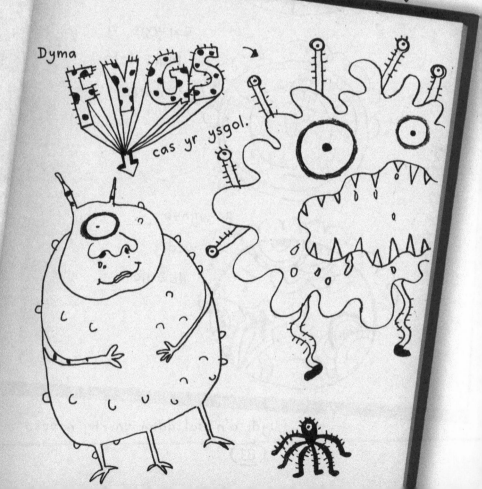

Dyma **FYGS**

cas yr ysgol.

Dwi wrthi'n brysur yn tynnu lluniau a dydw i ddim wir yn canolbwyntio ar beth mae Miss Iodel yn ei ddweud. Mae o'n swnio fel ei bod hi'n dweud rhywbeth am GACEN.

DWYLO I FYNY os FYDDAI DIM OTS GENNYCH STOPIO I GAEL CACEN.

(Sy'n TYNNU FY SYLW yn syth!)

IA, PLIS. Wna i stopio i gael CACEN. Dydyn ni byth yn cael cacen yn y dosbarth (BYTH). FELLY dwi'n codi fy llaw. Yna mae Miss Iodel yn DIOLCH i mi am helpu allan.

"E? ... DWI WEDI HELPU?"

"GAN BOD JENNI AC INDRANI YN SÂL, MAEN RHAID I NI WNEUD RHIFAU'R GRWPIAU BUSNES YN FWY HAFAL. FELLY DIOLCH, TWM, AM WIRFODDOLI I SYMUD GRWPIAU AC YMUNO GYDA MARC CLWMP A NORMAN WATSON."

(O...)

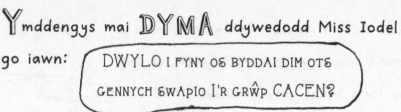

Ymddengys mai DYMA ddywedodd Miss Iodel go iawn:

DWYLO I FYNY OS BYDDAI DIM OTS GENNYCH SWAPIO I'R GRŴP CACEN?

(Dim ond y gair CACEN glywais i.)

GALLWN ddweud wrth Miss Iodel 'mod i wedi gwneud camgymeriad. Ond pan dwi'n edrych draw at Norman a Marc, maen nhw'n edrych MOR HAPUS, maen nhw'n neidio i fyny ac i lawr.

"Ocê, Miss Iodel, wna i symud," meddaf fi ac mae **eFA** yn rhoi proc i mi.

"Pam wnest ti hynna?"

"Achos ei fod o'n DWPSYN sy heb wrando'n iawn,"

meddai Carwyn, heb helpu dim.

"Mae o'n deud y gwir," dwi'n ochneidio.

Mae Carwyn fel petai'n falch 'mod i'n symud grwpiau.

(Mae **eFA** fel petai wedi llyncu mul.)

"Ta-ta, 'ta. Wnawn ni jyst wneud y ffolders comics hebddat ti."

O ... anghofiais i. Fydda i ddim yn gallu eu gwneud nhw rŵan 'mod i ddim yn eu grŵp nhw. O leia bydd cacennau yn fy ngrŵp newydd – sydd ddim yn DDRWG o beth.

(Gallwn fwyta cacen yr eiliad hon.)

Mae Miss Iodel yn dweud y gallaf fynd i eistedd efo fy ngrŵp newydd i gael "sgwrs" am beth 'dan ni am ei wneud, sy'n gwneud synnwyr.

Pan dwi'n codi i adael, mae **EFA** yn dweud, "Paid â phoeni, fyddwn ni'n iawn," tra bod Carwyn jyst yn CHWIFIO ata i, sy'n mynd dan fy nghroen.

Hwyl

(Dwi'n dyfaru ffeirio rŵan.)

Dwi'n ymuno efo Marc a Norman sydd eisiau gwybod os cawn nhw ddod i'n tŷ ni i wneud y cacennau. "Dydan ni erioed wedi gwneud cacennau o'r blaen," meddai Marc.

A dwi'n dweud, 😊 "Cewch – pam lai? Pa mor anodd ydi gwneud ychydig o gacennau?"

Felly mae HYNNA wedi'i setlo.

B ydda i, Norman Watson a Marc Clwmp yn coginio cacennau blasus ar gyfer ein SÊL **DIWRNOD Busnes** yn ein tŷ ni.

Beth ar wyneb y ddaear allai fynd o'i le?

'Drychwch, dwi'n gacen

Beth am wneud un GACEN ANFERTH! A'i bwyta ein hunain!

Mae gen i NIFER o YSTUMIAU WYNEB i'w
darlunio heddiw. (Fy rhai i yn bennaf.)

(Pan ro'n i'n meddwl 'mod i'n cael cacen.)

(Pan sylweddolais 'mod i ddim.)

(Pan ddarganfyddais i 'mod i'n gorfod ffeirio

grwpiau busnes.)

◄— (Carwyn pan mae o'n sylweddoli
bod o'n gallu bod yn fymryn o idiot.) Dychmygu hynna
wnes i, ond gallai ddigwydd rhyw ddiwrnod.

CŴN SOMBI YW'R GORAU

(neu fydden ni - pe baen ni'n gallu ymarfer ychydig bach mwy ...)

Dydi ymarfer y band ddim wedi bod yn mynd yn RHY dda yn ddiweddar. 'Dan ni bellach yn gallu chwarae set GYFAN o ganeuon da iawn (wel, bron). Cael pawb at ei gilydd ydi'r peth ANODD.

Mae Norman mewn tîm pêl-droed felly mae o wedi bod yn brysur yn chwarae llawer o gemau. Dydyn ni byth yn RHYDD ar yr un pryd. A hyd yn oed pan ydym ni'n RHYDD, dydi hi DDIM fel petai pethau'n dod i drefn.

Y tro dwytha daethon ni at ein gilydd, roedd popeth yn mynd yn iawn nes i dad Derec ymuno â ni (sydd ddim mor anarferol â hynny).

Ond Y TRO YMA daeth â THAD Heulwen efo fo (oedd yn hynod anarferol).

Cynffon

"Ro'n i'n meddwl yr hoffech chi gael ychydig o dips gan gerddor GO IAWN, hogia!" meddai Mr Pringle.

(Griddfanodd Derec.)

Doedd dim cymaint â hynny o ots gen i achos roedd o'n arfer bod mewn BAND **(CWPAN BLASTIG).**

Yna cydiodd tad Heulwen yn fy ngitâr a dechrau ei CHWARAE. Roedd Mr Pringle yn cadw dweud,

Alla i ddim CREDU bod aelod o **CWPAN BLASTIG** yn CHWARAE gitâr yn FY NGAREJ I!

Roedd gan Derec gywilydd go iawn. Dywedodd ein bod ni ar ganol YMARFER. Ond wnaeth hynny mo'i stopio.

 Wnaethon ni sefyllian am ychydig yn gwrando ar dad Heulwen yn chwarae a thad Derec yn gofyn cwestiynau am

CWPAN BLASTIG.

Gwyliwch a dysgwch, blant ...

Yn y diwedd, roedd yn rhaid i Norman adael. Ymarfer pêl-droed. Felly wnes i ofyn am fy ngitâr yn ôl a mynd adre fy hun. Hwyl, Derec. Tan toc.

Pan gyrhaeddais i adre, dywedais i wrth Dad am dad Heulwen yn chwarae fy ngitâr gan ein stopio ni rhag ymarfer. Wnaethon ni drio!

Roedd Dad yn CADW dweud, "BETH? WNAETH TAD HEULWEN CHWARAE DY GITÂR DI? Y GITÂR YMA?"

"Do, Dad – fy NGITÂR i!" Bu'n rhaid i mi ddweud hynny fwy nag unwaith.

Wnaeth Delia orglywed a dechreuodd FYSNESU. "Be ydi'r OTS? Gitarydd ydi o. Be ydych chi'n ddisgwyl iddo fo wneud efo gitâr?"

(Pwynt teg, Delia, meddyliais – ond wnes i ddim dweud hynny'n uchel.)

Ceisiodd Dad egluro. "Dychmyga petai un o'r **3 DIWD** yn chwarae dy gitâr di, Twm. Byddet TI'N gyffrous, basat?"

"**BASWN!**" meddaf fi. "Ond DIM y **3 DIWD** wnaeth – TAD Heulwen wnaeth."

"Roedd **CWPAN BLASTIG** yn **ENFAWR** yn eu dydd!" meddai Dad, gan swnio'n **LLAWER** mwy cyffrous na fi.

Ochneidiodd Delia. "Does **NEB** erioed wedi clywed am **CWPAN BLASTIG** – heblaw am Mr Pringle, ac yn anffodus, chdi, Dad."

"Dydi hynna ddim yn wir, Delia. Dwi'n siŵr basa unrhyw FFAN yn talu LLAWER o arian am gitâr Twm, rŵan bod tad Heulwen wedi'i chwarae!"

Cyn i Delia gael unrhyw syniadau, dyma fi'n dweud, "Dwi DDIM yn gwerthu fy ngitâr."

"**Byddai Mr Pringle** yn ei phrynu," meddai Delia gan chwerthin.

"Rydan ni'n ei gadw," dywedodd Dad.

Wna i ddangos hwn i Derec – bydd o'n meddwl ei fod o'n ddoniol hefyd!

Ystumiau mynegiant ffan cerddoriaeth ~~GWALLGO~~ Mr Pringle. Chwiliwch am yr arwyddion yma:

CLUSTIAU yn gwrando am diwns **CWPAN BLASTIG**

PEN yn llawn o **FFEITHIAU CWPAN BLASTIG**

CEG allai ddechrau canu unrhyw funud

Cylchgronau efo unrhywbeth am **CWPAN BLASTIG** ynddyn nhw

Dwy FRAICH yn cydio mewn albwms **CWPAN BLASTIG**

COES yn barod i ddawnsio-fel-Dad

TROED ar fin dechrau TAPIO i rythm cerddoriaeth

CWPAN BLASTIG

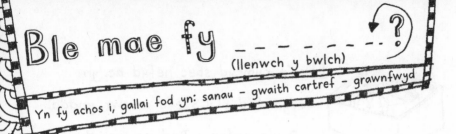

Ble mae fy _ _ _ _ _ _ _ _ _ _ ?

(llenwch y bwlch)

Yn fy achos i, gallai fod yn: sanau – gwaith cartref – grawnfwyd

Dros y dyddiau dwythaf, mae MAM wedi bod â'i **BRYD** ar glirio a gwaredu'r tŷ cyfan o unrhyw jync neu stwff y mae hi'n meddwl nad ydym ei angen. Gaiff hwn fynd – mae crac ynddo.

Dwi'n **meddwl** ei bod hi wedi bod yn gwylio rhaglenni fel ...

Taflwch o!

CLIRIWCH! SORTIWCH! GWERTHWCH!

a

Cliriwch heb OEDI – Ewch AMDANI!

Mae yna focsys yn dod i'r golwg o gwmpas y tŷ efo'r geiriau SÊL CIST CAR a JYNC arnyn nhw. Mae hwn wedi bod yn eistedd yn y coridor tu allan i lofft Mam a Dad. Mae Dad yn methu peidio edrych ar bopeth a thynnu pethau ALLAN.

Dwi'n cymryd sbec hefyd ac yn darganfod BOCS efo oriawr ynddo.

Dwi'n gofyn i Dad ga i ei chadw.

"Mae Mam yn trio gwaredu, Twm."

"Ond TI'N CADW PETHAU!" dwi'n ei atgoffa.

"IAWN, IAWN," meddai Dad gan gymryd yr oriawr ac edrych arni'n iawn. Mae o'n darganfod rhywbeth arall o dan yr oriawr.

"Ti ddim am gadw'r froetsh yma hefyd, wyt ti, Twm?" Yna mae o'n dangos darn o emwaith siâp CATH EFO LLYGAID CROES i mi.

"NA!" meddaf fi yn gyflym ac mae Dad yn chwerthin.

"Mae hon wedi bod gan dy fam ers BLYNYDDOEDD. A dydi ERIOED wedi'i gwisgo. O achos y LLYGAID, beryg," meddai gan wneud wyneb doniol.

"Gad i ni ei chadw yn y bocs – rhag ofn bydd rhywun eisiau prynu broetsh ryfedd yr olwg yn y sêl cist car."

"Ella ... " meddaf i (neu ella DDIM).

94

Pan dwi'n dod adre o'r ysgol, y peth CYNTA mae Mam am wybod ydi, "Wnei di dacluso dy stafell, Twm, a dod o hyd i bethau ar gyfer y sêl cist car?"

Yna mae hi'n rhoi BOCS i mi.

"OCÊ, IAWN!" meddaf i a *RHEDEG* i fyny'r grisiau, rhag ofn iddi roi joban arall i mi.

Pan mae Mam mewn un o'i hwyliau

 DWI'N CAEL TREFN,

y peth gorau i'w wneud ydi CADW DRAW.

Dwi'n gallu clywed droriau yn cael eu gwagio a chypyrddau yn cael eu hagor. Efo lwc, byddaf yn SAFF i fyny fan'ma am dipyn. Dwi'n rhoi tro ar ddod o hyd i bethau ar gyfer y sêl, ond dydi hi DDIM YN HAWDD ...

Hwn?

Ella...

Ga i wared o'r comic 'ma ...

Ia ... O ... Na.

Dwi heb ei ddarllen!

Dal yn wag

... felly dwi'n rhoi'r ffidil yn y to.

Dwi wrthi'n brysur yn darllen pan mae Mam yn gweiddi,

Twm!

Dwi'n esgus 'mod i heb ei chlywed.

Wnaiff hi feddwl 'mod i'n tacluso a gadael llonydd i mi.

Twm!

Wnaeth hynna ddim gweithio 'ta. Dwi'n dal i gadw'n dawel achos os a' i lawr y grisiau, wnaiff hi roi JOBAN i mi. Neu wnaiff hi holi am fy stafell (sy'n flêr). OND os <u>na</u> a' i lawr y grisiau, wnaiff Mam feddwl 'mod i'n ei hanwybyddu a beryg y daw hi i fyny yma a gweld fy stafell flêr.

BETH wna i?

Mynd i lawr grisiau ...

Aros yma ... Fyny ... Lawr?

(Rhy hwyr.)

"Twm, wnest ti ddim fy nghlywed yn

GWEIDDI ARNAT TI?"

(Ro'n i'n gwybod dylen i fod wedi mynd i lawr y grisiau.)

Mae Mam yn edrych o gwmpas fy llofft ac yn dweud,

"Ro'n i'n meddwl dy fod wedi tacluso, Twm?"

"Wnes i! Dylet ti fod wedi'i gweld hi cynt," meddaf fi.

Yna, am ryw reswm, mae Mam yn *LLAMU* tuag at

fy nghwpwrdd. Cyn i mi allu ei hatal,

mae hi'n AGOR y drws.

Sy'n GAMGYMERIAD.

Mae llwyth o bethau'n DISGYN allan gan gynnwys fy nghomics I GYD.

Wps ↓

"Woooah! Faint o gomics sy gen ti?"

"Dim llawer," meddaf fi.

"Gallwn werthu rhai o'r rhain yn y sêl cist car," meddai Mam gan edrych o gwmpas fy llofft eto. "Be arall wyt ti eisiau cael gwared ohono?"

Dwi'n ystyried ...

"Dim," meddaf fi, gan geisio AMDDIFFYN fy nghomics. "Dwi angen rhain i GYD ar gyfer prosiect ysgol." (Sy'n wir-*ish*, neu mi fyddai'n wir pe bawn i heb ffeirio grwpiau.)

"O, Twm, does gen ti ddim digon o le i gadw POPETH," ochneidia Mam. "Jyst dewis y comics rwyt ti wirioneddol eu heisiau."

Sy'n fy **atgoffa** o rywbeth arall ro'n i WIR eisiau ei gadw, ond y cafodd Mam a Dad wared ohono.

"Ro'n i **WIR** eisiau cadw fy **NGHIT DRWM BACH**, ond wnaeth HYNNY ddim digwydd."

Mae Mam yn syn pan dwi'n sôn am fy **NGHIT DRWM BACH**. Dwi DDIM i fod i wybod beth ddigwyddodd iddo, ond wnaeth Delia agor ei cheg fawr.

Roedd y **CIT DRWM BACH** yn anrheg gan Anti Alis ac Yncl Cefin, ac roedden nhw'n fy annog i'w chwarae **DRWY'R** AMSER.

Da iawn, Twm! Unwaith eto!

Bang Bang

Ro'n i'n **CARU**'R **CIT DRWM BACH** yna.

Wedyn, un diwrnod, allwn i ddim dod o hyd iddo yn UNLLE. "Dwi'n siŵr daw o i'r fei yn fuan."

OND wnaeth o ddim.

Tan i mi ei WELD y tu mewn i GWPWRDD DILLAD Mam a Dad! Ro'n i wedi GWIRIONI.

"Iesgob ... suth aeth hwnna i fan'na?" meddai Mam.

Hwrê!

Wnes i ddechrau ei chwarae yn SYTH BIN.

Roedd o'n WYCH. Yna wnaeth o ddiflannu

ETO, fel DIRGELWCH.

Wnes i chwilio ⊙ ⊙ yn yr UN llefydd unwaith eto,

ond allwn i ddim dod o hyd iddo. ☹

Amser |MAITH| ar ôl hynny, pan oeddwn i

wrthi'n ymarfer fy ngitâr (drosodd a throsodd, fel

mae rhywun), gwnaeth Delia ARTHIO i fy llofft a

mynnu os na faswn i'n STOPIO chwarae

MOR UCHEL, byddai fy ngitâr yn diweddu i fyny

yn yr un lle â'r CIT DRWM BACH.

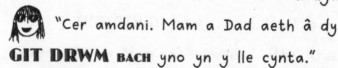
Y SIOP ELUSEN

Felly dywedais i,

Dwi'n mynd i ddeud wrth Mam a Dad!

a dywedodd HI,

"Cer amdani. Mam a Dad aeth â dy

GIT DRWM BACH yno yn y lle cynta."

Wnaeth hyn egluro'r CYFAN.

Mae atgoffa Mam o beth ddigwyddodd i'r cit drymiau fel petai o wedi'i STOPIO hi rhag ceisio cael gwared o fy HOLL stwff. (Ffiw.) 😊

 "Dwi'n siŵr mai dim ond prynu'r drymiau yna i'n GYRRU ni'n **WALLGO** wnaeth Yncl Cefin, a nath o WEITHIO!" meddai Mam. Yna mae hi'n ADDO y bydd hi'n tsecio POPETH efo fi cyn iddi hi glirio dim.

"**IAWN.** ADDO?" meddaf i?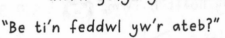

"Addo," cytuna Mam.

"Ga i **GIT DRWM** BACH arall?"

dwi'n gofyn yn obeithiol. 😃

"Be ti'n feddwl yw'r ateb?"

(NA, ydi hynna, beryg.)

Yn ddiweddarach y noson honno dwi'n DAL DELIA yn chwilio drwy focs y tu allan i lofft Mam a Dad.

HA! Dwi wedi dy ddal!

meddaf i, sy'n rhoi SIOC iddi.

"Doniol IAWN, Twm. Be ydi'r holl focsys yma?"

"Mae Mam eisiau i ni FFEINDIO STWFF ar gyfer y SÊL CIST CAR 'dan ni'n ei wneud y penwythnos yma."

"CYWIRIAD – CHI sy'n gwneud sêl cist car. Dwi'n brysur."

"Mae Mam yn deud bod yn rhaid i ni i GYD gael gwared o'n annibendod," meddaf fi.

"Dydi o ond yn DEG."

"Does gen i ddim, felly mae hynna'n IAWN, tydi," meddai hithau.

"Fetia i bod gen ti. Wna i ffeindio peth."

Ar y pwynt yma mae Delia'n dweud,

"CADWA ALLAN o fy llofft i, Twm," cyn gadael, a chau DRWS ei llofft

yn fy WYNEB.

YNA dwi'n clywed rhywbeth sy'n swnio fel GORIAD yn troi. Mae hyn yn NEWYDD. Wyddwn i ddim bod DELIA yn gallu CLOI ei drws. BETIA i nad ydi Mam a Dad yn gwybod bod ganddi oriad.

Dwi'n RHOI fy nghlust yn erbyn y drws a gwrando.

DOS O 'MA!!

mae hi'n gweiddi. Felly dwi'n aros yn llonydd fel delw.

Dwi'n dy glywed di ... Cer i grafu.

Dwi'n dal fy ngwynt ac eistedd i lawr.

Dwi ddim yn agor y drws,

meddai hi. Ond dwi'n aros lle rydw i ac yn gwrando chwaneg. Dwi'n ceisio edrych drwy dwll y clo ond mae hi wedi gadael y GORIAD ynddo. Mae Delia'n CYNLLUNIO rhywbeth. Dwi'n SIŴR. Dwi'n hongian o gwmpas am ychydig bach yn hirach nes dwi'n diflasu.

Y di Delia yn ÊLIYN? (Ella...)

Y bore wedyn, dwi wrthi'n bwyta fy ngrawnfwyd pan mae Delia yn cerdded i mewn. Dwi ddim yn sôn bod ei DRWS wedi'i GLOI. (Wna i gadw hynny tan nes ymlaen.)

Yn hytrach, dwi'n CANOLBWYNTIO ar y grawnfwyd sydd wedi'i SGWASHO yn fy mag ysgol. Dwi wedi'i adael allan yn y GOBAITH y gwnaiff hi ei gael i frecwast O BOSIBL.

Fyddai hynny'n DDONIOL!

"HELPA dy hun," meddaf fi yn hamddenol, fel pe bai dim ots gen i. (Mae ots gen i.)

Mae HI'N CYDIO ynddo. (IA!)

Yna mae hi'n ei roi i LAWR. (Na...)

"Dwi wedi newid fy meddwl. Anlwcus, Twm," meddai Delia. (Sut oedd hi'n gwybod? Mae o fel bod hi'n ÊLIYN efo pwerau SYNHWYRO PETHAU.)

Ella mai DYNA pam ei bod hi'n cloi ei drws ...

Êliyn ➔ S'mai?

Dwi'n dal at y syniad yna ar gyfer fy llyfr

braslunio ac yn TROI'R sgwrs i weld beth

ARALL mae Delia'n WYBOD.

"Wyt ti'n gwbod be sy'n digwydd

penwythnos NESA?" dwi'n holi.

"Pen-blwydd Mam. Wnest ti anghofio?"

gofynna, gan helpu ei hun i dost.

"NA... ro'n i'n mynd i ddeud wrthat TI ei

bod hi'n ben-blwydd ar Mam."

"Ond wnest ti anghofio," meddai Delia, sy'n

mynd â blewyn o 'nhrwyn.

"Dad anghofiodd – DIM FI!"

"Be mae o wedi'i anghofio RŴAN?" gofynna Mam wrth

iddi gerdded i mewn i'r gegin. Dydi hi

ddim yn gwisgo ei dillad gwaith arferol.

"DIM BYD," meddaf fi, gan geisio gwneud

esgus am fod Dad yn sefyll reit y tu ôl iddi.

"Dwi'n sortio popeth allan heddiw –

gan gynnwys dy SIED," meddai hi wrth Dad.

Beth?

"Mae'n siŵr bod LLWYTH o bethau i gael eu gwared yn fan'na," mynnodd Mam.

"NA, does dim byd," meddai Dad yn gyflym.

"Be am yr hen ddarn 'na o offer CADW'N HEINI ti BYTH yn ei ddefnyddio?"

"Dwi'n ei ddefnyddio BOB DYDD!" meddai Dad wrthi.

"Dydi hongian dy gôt a dy het arno ddim yn cyfri." Mae Mam yn ysgwyd ei phen.

"O leia mae o'n cael ei ddefnyddio!" meddai Dad gan chwerthin.

(Dwi'n poeni am fy LLOFFT I rŵan achos mae Mam yn edrych fel ei bod ar fin mynd i RYFEL!) Felly cyn mynd i'r ysgol, dwi'n rhedeg i fy llofft ac yn RHOI NODYN ar yr holl bethau dwi ddim eisiau iddi hi eu CYFFWRDD.

JYST RHAG OFN.

Llyfrau a chomics

Dim cyffwrdd

Pentwr o ddillad

CADW

UNRHYW BETH EFO 3DIWD

Dim cyffwrdd

NA

Pob gitâr

Sgidiau enfawr

GWERTHU!

Mae hi'n anodd canolbwyntio yn yr ysgol wrth i mi feddwl BETH gall Mam fod yn ei wneud yn fy llofft.

Dyna welliant

GWAG

GWAG

junc

junc

junc

Yr eiliad mae'r gloch yn canu, dwi'n dweud wrth Derec 'mod i mewn *brys* MAWR i fynd adre a gweld beth sy'n weddill o fy stwff.

Pan dwi'n agor y drws ffrynt, mae pethau'n edrych yn wahanol yn barod. Dwi'n anelu am y llofft ac yn sylwi bod drws Delia yn DAL AR GAU (ac wedi'i gloi, beryg).

Sy'n amheus (am nifer o resymau).

Dwi'n mynd i fy llofft ... ac mae hi

☆ MOR ☆ DACLUS ☆

WAW!

prin dwi'n adnabod y lle.

"Tydi hi'n edrych yn well?" meddai Mam.

Dwi'n edrych i weld beth mae hi wedi'i roi yn y bocs "SÊL CIST CAR cyn DWEUD, "Ydi, Mam. Grêt."

Mae Mam yn dweud os caiff unrhyw beth ei werthu o fy mocs I, y caf i gadw'r arian. ☺

"Wel ... y rhan FWYA ohono," sy'n well na dim, beryg.

Dwi'n GOBEITHIO y bydd gen i ddigon i brynu rhywbeth fel sgwtyr BACH. Mae gan lwyth o blant yr ysgol rai.

NEU hyd yn oed

CANT O
WAFFERI CARAMEL

(Dychmygwch 100) → Byddai hynna yn dda! ☺

Dwi'n edrych ymlaen at wneud y SÊL yma rŵan, a dweud y gwir. ☺ Nes i Mam fy atgoffa faint o'r gloch dwi'n gorfod codi yn y bore.

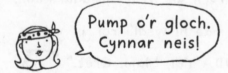

Pump o'r gloch.
Cynnar neis!

Sblych

108

(Dwi'n aros i fyny'n hwyrach na ddylwn i er mwyn gwneud
lluniau pwysig yn fy llyfr braslunio – y rhan fwya wedi'u
hysbrydoli gan Delia.)

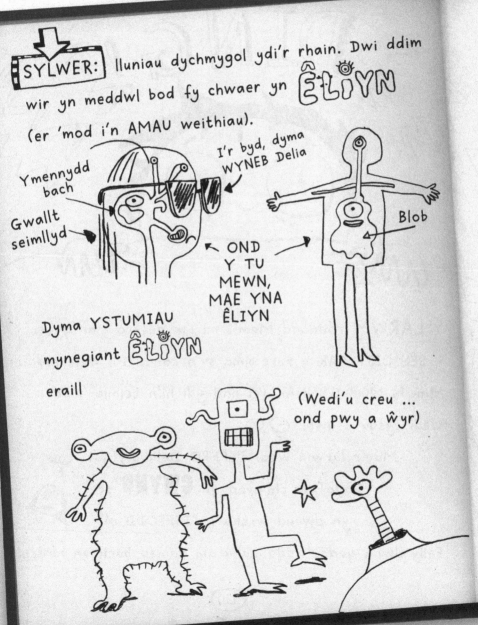

SYLWER: lluniau dychmygol ydi'r rhain. Dwi ddim
wir yn meddwl bod fy chwaer yn ÊLIYN
(er 'mod i'n AMAU weithiau).

Ymennydd
bach

I'r byd, dyma
WYNEB Delia

Gwallt
seimllyd

 OND
Y TU
MEWN,
MAE YNA
ÊLIYN

Blob

Dyma YSTUMIAU
mynegiant ÊLIYN

eraill

(Wedi'u creu ...
ond pwy a ŵyr)

Y LARWM roddodd Mam i mi i'm deffro i ar gyfer y SÊL CIST CAR y bore yma sy'n canu. (Mi weithiodd.) Mae hi MOR GYNNAR fel nad ydi hi'n teimlo 'mod i wedi cysgu o gwbl. ☉ ☉

Mae'r larwm wedi DEFFRO Delia hefyd. Gallaf ei chlywed yn **GWYNO** ac yn dweud wrtha i, "DIFFODD o!" Felly dwi'n gadael iddo ganu am damed bach yn hirach.

DING! DING! DING! DING!

(OCÊ, dyna ddigon rŵan.)

I ‖Dwi'n llamu o fy ngwely ac yn gwisgo'n gyflym. ⸗{Yna dwi'n gadael y cloc larwm y tu allan i ddrws Delia ac yn ei osod i ganu eto am CHWECH Y.B.

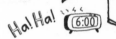

(Jyst wedi i ni adael.)

Ha! Ha!

Mae Mam a Dad eisoes i lawr y grisiau. Maen nhw'n edrych yn eitha blinedig.

Oes gen ti'r newid mân?

Oes!

Mae Dad yn cydio mewn belt arian a'i ysgwyd.

 "A beiro i sgwennu arwyddion?"

"OES, mae POPETH"

wedi'i sortio, meddai Dad.

"REIT, FFWRDD Â NI!"

meddai Mam, yn hynod frwdfrydig.

(Sblych...)

Mae Mam a Dad yn dringo i flaen y car,

tra 'mod i wedi fy sgwasho yn y cefn, efo bocsys o 'nghwmpas. Wela i ddim byd sy'n perthyn i Delia, dim hyd yn oed rhifyn o **ROC NAWR** (sy'n biti).

Dwi'n gofyn i Mam, "Pam dydi Delia heb orfod cael gwared ar unrhyw beth?"

Meddai Mam, "Doeddwn i ddim yn gallu mynd mewn i'w llofft. Roedd y drws yn SOWND."

"Neu ella ei fod o wedi'i GLOI," meddaf fi wrthi, gan geisio helpu. "Clywais hi'n defnyddio GORIAD ⊙━━ᴹ y diwrnod o'r blaen."

"Pryd cafodd hi oriad?" gofynna Dad wrth iddo ffidlan efo'i oriadau car ei hun.

"Pam bod Delia angen CLOI drws ei llofft, tybed?" meddylia Mam.

"Bydd yn rhaid i ti siarad efo hi," meddai Mam wrth Dad.

"Pam FI?"

"Erbyn meddwl, wnes i ogleuo PAENT yn ei llofft y diwrnod o'r blaen. Dwi'n gobeithio nad ydi hi'n ailaddurno neu rywbeth gwirion felly. Gawn ni FYND?" gofynna Mam i Dad mewn llais blin.

"OCÊ, OCÊ, mae'r injan yn twymo. Barod rŵan."

Mae Mam yn troi ac yn dweud wrtha i, "Mae hyn yn GYFFROUS, tydi, Twm?"

"Dim go iawn," ochneidiaf.

Yna mae Dad yn ceisio tanio'r car, ond mae problem ...

DOES DIM YN DIGWYDD.

Felly mae o'n troi'r goriad eto ...

a'r tro yma mae  SŴN **CLYNCIO** MAWR.

Sydd ddim yn swnio'n dda. 😦

 Mae Dad yn cadw troi'r goriad YMLAEN
a'i DDIFFODD ... YMLAEN a'i DDIFFODD ...
YMLAEN a'i DDIFFODD ...

Mae o'n gwthio'r pedalau gryn dipyn hefyd. Ond does
dim yn helpu. "Mae'r injan yn gwbl farw," meddai Dad.

Mae o'n **YSGWYD** yr olwyn.

"Ydi hynna'n mynd i helpu?" ochneidia Mam.

"PAM bod y car yma WASTAD yn torri i lawr?" meddai Dad, gan roi ei ben i bwyso ar yr olwyn.

"Achos ei fod o'n gar **HYNAFOL**, yn ôl Yncl Cefin. Dwi'n meddwl ei fod o wedi'i alw o'n 'hen groc'," meddaf fi o'r sedd gefn.

"Diolch am rannu hynna, Twm," meddai Dad, gan geisio tanio'r injan eto.

"PLIS deud wrtha i y gallwn ni gael y car yma i danio?" gofynna Mam yn obeithiol.

"Ydi hyn yn golygu y galla i fynd yn ôl i 'ngwely?" Sy'n teimlo fel rhywbeth call i'w ddweud, o dan yr amgylchiadau.

"**RYDAN NI'N MYND** I'R SÊL CIST CAR YMA rhywffordd."

"Dim ond gofyn," meddaf fi.

Mae Mam yn swnio mor benderfynol â **MUL**.

"Mae'r Pringls i ffwrdd am y penwythnos, felly allwn ni ddim gofyn iddyn nhw am help," meddai Dad, gan feddwl yn uchel.

"Be am ein cymdogion newydd?" gofynna Mam.

Mae Dad yn esbonio nad oes ganddyn nhw gar.

"Fyddai dy frawd, Cefin yn gallu ein helpu tybed?" awgryma Mam.

"WYT TI O DDIFRI?

Baswn i'm yn clywed ei DIWEDD hi. Byddai o'n fy ngyrru'n WALLGO!" meddai Dad.

(Mae o'n mynd bach yn WALLGO ei hun.)

Trwy gydol yr amser maen nhw'n sgwrsio, dwi'n dal wedi fy sgwasho yn y sedd gefn.

"OCÊ, mae gen i syniad," meddai Mam, sy'n swnio'n obeithiol.

"Wna i roi caniad i Myfi. Mae hi wastad yn codi'n gynnar achos bod Bob yn chwyrnu cymaint."

CHWWWYYRNU
CHWWWYYRNU

Dwi'n CYSIDRO pam bod Mam yn ffonio'r **FFOSILIAD** pan nad oes ganddyn nhw gar.

`Ella´ eu bod nhw'n adnabod rhywun sydd efo car yng NGHARTREF HENOED MACHLUD MAWR?

Ewch am sbin!

Gallaf glywed Mam yn siarad efo Nain ar y ffôn. Meddai hi, "Ffanastig! Diolch, Myfi. Mae arnon ni ffafr i chi!"

Mae Mam yn dechrau dadlwytho'r car, sy'n ARWYDD DA.

Felly dwi'n dringo allan hefyd ac yn gofyn, "Ydi Nain Clwyd a Taid Bob yn dod draw efo car arall 'ta?"

Meddai Mam, "Ddim yn union."

'Dan ni YMA!

(Doeddwn i ddim yn disgwyl hynna.)

Mae eu tryc bach yn ddigon mawr fel bod y rhan fwya o'r bocsys yn ffitio ynddo.

Bydd yn rhaid i ni gario ychydig o fagiau. Mae pobl yn edrych yn od arnon ni ar y ffordd i'r sêl ond o leia rydan ni'n cyrraedd yno (yn y pen draw).

Mae'r safleoedd gorau i gyd wedi'u cymryd erbyn i ni gyrraedd. Mae'r dyn sy'n cymryd yr arian yn dweud, "Dyma'r unig safle ar gael, mae arna i ofn." Mae o reit yng nghornel y parc.

"Mae o'n well na dim," meddai Mam, gan edrych o'i chwmpas.

"Reit! Dewch i ni dorchi'n llewys neu werthwn ni ddim byd," meddai Dad.

"Ble mae'r bwrdd i roi popeth arno?" gofynna Mam.

"Pa fwrdd?" meddai Dad.

(Mae Dad wedi anghofio'r bwrdd.)

Dwi'n cadw o'u ffordd tra eu bod nhw yn penderfynu beth i'w ddefnyddio yn lle'r bwrdd. (Y tryc + bocsys wedi'u troi ben i waered efo hambyrddau ar eu pen.)

Mae fy mol yn RYMBLO, felly pan mae Taid yn cynnig y dylem ni fynd i nôl brecwast i bawb, dwi'n dweud,

"IA, PLIS!" yn gyflym iawn.

Meddai Nain Clwyd wrth Taid,

"Brecwast iach. Cofia, Bob."

"Wrth gwrs!" meddai o, gan rwbio ei fol ac i ffwrdd â ni.

Y peth grêt am SÊL CIST CAR ydi nad ydych chi BYTH yn gwybod beth fydd ar werth. Dwi'n gweld pob math o bethau rhyfedd ar wahanol stondinau, fel slipar FAWR (sy'n mynd â bryd Taid), llyfrau doniol a sgwtyr bach.

Sgwtyr bach
↓

"O Taid! Dwi wir eisiau sgwtyr bach."

"Gad i ni gael sbec."

Mae'r sgwtyr bron yn newydd, felly mae'r stondinwr eisiau mwy o arian nag sydd gennym ni. (Does gen i ddim ceiniog. ETO.)

"Ddown ni yn ôl nes 'mlaen," meddai Taid. "Ella cei di o'n rhatach bryd hynny ..." sibryda.

Mae oglau brecwast yn tynnu fy sylw oddi ar y sgwtyr am dipyn bach. Mae Taid yn archebu sudd oren ffres a thafellau TRWCHUS o dost a jam i bawb. Alla i ddim peidio edrych ar yr holl GACENNAU a BYNS a meddwl pa mor flasus fydden nhw, pan mae Taid yn dweud, "Be am gael rhywbeth i'w fwyta YMA?"

"Syniad da!" dwi'n nodio.

Ond yna mae o'n archebu ... "Dau frecwast llysieuol, plis." (Dim cacen.)

Sy'n troi allan i fod yn SGLODS! (Iei!)

"Paid â sôn gair wrth dy nain," meddai o.

OCÊ!

Erbyn i ni fynd yn ôl, mae Mam a Dad (efo help Nain) wedi gosod y stondin, sy'n edrych yn well nag oeddwn i wedi'i ddisgwyl.

Heblaw am yr HOLL STWFF OD.

Mygs Fasys

Teganau a stwff da

Comics

Llyfrau

?

?

?

"Be ydi'r gwisgoedd rhyfedd yma?" dwi'n holi.

"Ti'n cofio fi'n gwisgo'r dillad dinosor, dwyt, Twm?"

(O, ydw. Mae'r cwbl yn dod 'nôl rŵan.)

"Eu cael nhw ar ôl yr holl jobsys dwi wedi'i wneud wnes i. Maen nhw'n tynnu sylw bobl yn barod," eglura Dad wrtha i.

Mae o'n iawn. Mae pobl yn SYLLU 👀
(ond nid mewn ffordd dda).

Edrych ar y bwts ffrîci yna!

Mae'n teimlo fel bod HANNER fy ysgol yn y sêl.

Mae'n siŵr eu bod nhw'n meddwl,

Am stondin OD yr olwg.

Mae'n nhw'n fy ngweld I, Twm Clwyd,

yn sefyll yna. Fel mae Bryn Siencyn
newydd ei wneud. Mae o'n codi llaw.
Felly dwi'n codi llaw yn ôl.

O, grêt. Dwi'n gweld rhai o'r plant bach wnaeth
fy nghuro i wrth chwarae Tsiamp hefyd.

Dwi'n codi fy llaw eto – ond DDIM yn frwdfrydig.

Mae Taid yn dechrau rhannu'r tost,
sy'n ffordd dda o dynnu sylw pobl.

Dwi ddim wir yn llwglyd ar ôl y sglods

felly dwi jyst yn cael fy sudd, tra bod Taid yn
llwyddo i fwyta darn bach o dost.

"Dyna'r CWBL ti'n ei gael, Bob?" hola Nain.

"Paid â phoeni amdana I. Fydda i'n

iawn. Doedd yna ddim digon o dost i bawb,"

meddai o, gan drio gwneud i Nain deimlo

piti drosto (sy'n gweithio).

"Gawn ni rywbeth arall i ti ei fwyta

yn y munud," meddai hi wrtho.

 "Fel SGLODS!" awgryma Taid,

cyn wincio arna i.

"Gawn ni weld," meddai Nain.

Dwi ddim yn dweud

gair am y pecyn MAWR

gawson ni yn gynharach.

Mae Taid yn AHEN FFOSIL bach cyfrwys,

yn bendant.

Ha! Ha!

Ella gwna i eu
rhannu nhw
efo ti ...

Mae POBMAN yn edrych yn brysur rŵan ...
heblaw am ein stondin ni.

(Neu fel'na mae o'n teimlo.)

"Dwi'n meddwl bod dy sgidiau GLITYR
di'n cadw pobl draw," meddai Mam wrth Dad. "Cha'
i fyth gyfle i fynd am sbec rownd y stondinau fel
hyn," ychwanega, gan geisio ailosod pethau.

"Gwna i hynna. Dos di am sgowt a bydd
POPETH wedi'i werthu erbyn i ti ddod 'nôl.
Bydd, Twm?"

"Ella," meddaf fi, achos dwi ddim yn sicr a
wnaiff HYNNY ddigwydd.

Mae Dad yn llwyddo i argyhoeddi Mam y byddwn ni'n
iawn. Felly mae hi'n mynd am (sgowt.

"Reit! Tyrd, Twm," meddai Dad, gan rwbio'i ddwylo.
"Gad i ni roi'r holl focsys yma allan, ia?"

Mae'r stondin yn edrych bach yn flêr, ond yn
rhyfedd iawn, mae o'n dechrau gweithio.

Mwy o
stwff

Mae pobl yn dechrau dod draw a PHRYNU
ein STWFF ni! Mae rhywun hyd yn oed eisiau

SGIDIAU GLITYR Dad –
sy'n codi ei galon. 🙂

Dwi'n teimlo'n dipyn hapusach hefyd pan mae
Bryn Siencyn yn dod draw ac yn dangos
beth mae o wedi'i brynu i mi.

"Smai, Twm.
Sbia ar fy llithren ddŵr ENFAWR."
"Am WYCH! Dwi wastad wedi bod
eisiau un o rheina," meddaf fi.
"BITI na allwn i ddod â hi i'r ysgol ar gyfer amser
chwarae," meddai Bryn. "Pa mor dda fyddai hynny?!"
"FFANTASTIG! Er, beryg baswn i'n taro
un o'r athrawon wrth lithro, o gofio fy lwc i!"
Sy'n wir ... (Gallaf ei ddychmygu rŵan.)

Mr Ffowc ➡️

GWYLIWCH!

Mae Bryn yn chwerthin, "Mae hynna yn fy atgoffa. Bu bron i mi DARO i mewn i Mrs Nap. Mae Carwyn Swnyn yma hefyd."

"Oes yna unrhyw un o'n hysgol ni sy DDIM yma?" dwi'n ystyried. Mae sêls cist ceir yn reit boblogaidd.

Rydan ni'n dal i sgwrsio pan mae yna hen ddynes efo sgarff am ei phen yn dod draw. Mae hi'n cydio yn y bocs efo broetsh CATH LLYGAID CROES Mam ynddo.

"Faint ydych chi ei eisiau am hon?" hola.

Mae Dad yn ei hateb yn syth gan ddweud, "Gadwch i mi weld. Be ti'n feddwl, Twm?"

Dwi'n cymryd sbec ac yn dweud mor hyderus ac y galla i,

"O LEIA pum punt. Mae hi'n gath arbennig."

Mae'r hen ddynes yn rhoi'r bocs i lawr yn syth.

"Wna i feddwl am y peth."

"DWY BUNT 'TA!" gwaedda Dad, gan drio ei orau i'w hargyhoeddi.

"*Ella...*" meddai gan gario ymlaen i edrych ar y froetsh. Tra ei bod hi'n ceisio penderfynu, mae Bryn yn gweld Carwyn, sy'n dod draw atom ni.

"Be wyt ti'n ei wneud yma?" gofynna.

"Gwerthu hufen iâ. Be ti'n feddwl?"

"Mae gen ti hufen iâ?"

"Nag oes, Carwyn. 'Dan ni'n gwerthu stwff o'r tŷ. Fel mae rhywun yn ei wneud mewn sêl cist car."

"Drycha be sy gen i." Mae Bryn yn dangos y llithren ddŵr iddo.

"Dyna dda. Oes gen ti rywbeth fel'na, Twm?"

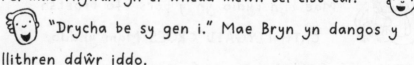

Na.

Mae Carwyn yn edrych yn siomedig. Mae Bryn yn penderfynu mai RŴAN ydi'r amser gorau iddo fynd.

"Wela i di'n 'rysgol," meddai o a 'ngadael i efo Carwyn. Mae o'n cydio yn y bocs roedd yr hen ddynes yn edrych arno ac yn ei YSGWYD GRYN DIPYN.

"Be sy'n hwn?"

"Broetsh cath sy wedi torri erbyn hyn, beryg, gan fod ti wedi'i hysgwyd hi gymaint," meddaf fi wrtho.

"Nadi gobeithio. Dwi eisiau ei phrynu!" meddai'r hen ddynes yn sydyn, ar ôl gweld beth mae Carwyn yn ei wneud.

Mae Carwyn yn dychwelyd y bocs tra bod Dad yn hofran, yn GOBEITHIO ei bod hi'n barod i'w phrynu y TRO HWN.

"Gymrwch chi bunt?" gofynna yr hen ddynes.

"GWNAF!" meddai Dad cyn iddi newid ei meddwl.

Mae'r hen ddynes yn edrych yn HYNOD hapus.

"Un peth arall wedi'i WERTHU," meddai Dad.

"Grêt," meddaf fi, tra 'mod i'n gwylio Carwyn yn CHWILOTA drwy fy HOLL stwff

Sblych...

gan ofyn cwestiynau am BOPETH.

"Ydi'r llyfr yma'n dda?"

"Ydi, mae o'n grêt."

"Pam ti'n werthu o 'ta?"

"Achos 'mod i wedi'i ddarllen o."

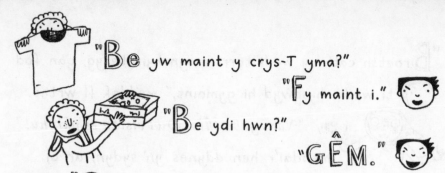

"Be yw maint y crys-T yma?"

"Fy maint i."

"Be ydi hwn?"

"GÊM."

"Oes gen ti gemau eraill?"

Mae o'n fy ngyrru i'n WALLGO.

Mae Dad yn dod i fy achub gan

ddangos ychydig o bethau eraill y mae o'n

feddwl wnaiff Carwyn eu hoffi.

"Fi wnaeth y barcud yma. 'Dan ni

angen cael gwared o BOPETH sy 'ma,

Carwyn, felly caria di 'mlaen i chwilota,"

meddai Dad wrtho. (Dwi'n gallu gweld rhywbeth yr

hoffwn i gael ei wared yr EILIAD HON.)

Wrth i Carwyn barhau i

CHWILOTA

drwy ein stondin ni

mae Mam yn

~~ES~~ RHUTHRO yn ei hôl.

Poen →

Mae hi wedi colli'i gwynt ac yn *PWFFIAN.*

"Dwi newydd weld dy Anti Alis ac Yncl Cefin yn crwydro o gwmpas. Pwy GOBLYN ddywedodd wrthyn nhw am y SÊL CIST CAR?

(Ymm ... Ella mai fi wnaeth?)

S'mai, Anti Alis. Dydi Mam ddim yma. Rydan ni'n gwneud Sêl Cist Car DYDD SUL YMA.

Mae Mam mewn *PANIG.*

"Brysiwch! Cuddiwch yr HOLL fygs yma a'r FÂS yna roddon nhw i ni. Dwi ddim am iddyn nhw weld ein bod ni'n trio EU GWERTHU!" gwaedda Mam tra bod Dad yn ei helpu i'w STWFFIO i FOCS.

"Be sy'n digwydd?" gofynna Carwyn i mi, achos mae o'n DAL yma.

"Dim. Paid â phoeni amdano," (Jyst bod yn fysneslyd mae o.) "Ti'n mynd i brynu rhywbeth?" dwi'n gofyn iddo.

"Dwi heb benderfynu eto," meddai o wrtha i.

Mae Mam wedi dechrau pwyllo ac mae hi'n SYLWI ar Carwyn, sy'n edrych ar fy "S'mai, Carwyn. Ti'n hoffi comics? Mae gan Twm LAWER gormod, fel y gweli."

"Dim RHAGOR," dwi'n ei hatgoffa.

"A deud y gwir, byddai'r comics YMA yn ddefnyddiol IAWN ar gyfer FY mhrosiect **DIWRNOD BUSNES**. Ond dwi ddim yn meddwl bod gen i ddigon o arian."

Mae o'n edrych yn hynod drist ar yr arian yn ei ddwylo.

(Dim arian)

(Mae o'n gymaint o boen.)

O WEL, HEN DRO. WELA I DI YN YR YSGOL 'TA, CARWYN.

meddaf fi, gan geisio cael ei wared. Ond mae Mam eisoes wedi dechrau rhoi fy nghomics mewn BAG.

"Byddi'n gwneud ffafr â ni'n DAU, Carwyn. YLI, CYMER NHW I GYD."

"BETH?"

Cyn i mi allu stopio Mam na dweud DIM, mae hi wedi rhoi'r  IDDO.

"Diolch, Mrs Clwyd. Am wych. Wnaiff hyn wirioneddol helpu FY syniad **grŵp busnes**. Gwnaiff, Twm?"

 (Fedra i ddim siarad.)

Mae Mam yn gwenu ac yn dweud wrtha i,
"Un peth yn llai i ni fynd adre efo ni, sy'n newyddion
da gan mai dyma pam 'dan ni yma, Twm!"

A DWI EISIAU GWEIDDI
"MAE HYN YN NEWYDDION
OFNADWY!

Nid newyddion DA!" Ond dwi'n dal yn METHU SIARAD!

Dwi'n gorfod edrych ar Carwyn yn bod yn hynod smyg
ac yn diolch i fy mam i am y comics wrth iddo adael ein
stondin ni o'r diwedd.

smyg

Dwi ar fin gofyn i Mam PAM ei
bod hi wedi cael GWARED
o fy HOLL gomics
pan mae hi'n rhoi PROC i mi ac yn
dweud, "Yh-oh! Mae Alis, Cefin a'r bechgyn ar y ffordd
draw. Paid â sôn am y mygs! Jyst actia'n NORMAL."
Er nad ydi hi'n actio'n normal o gwbl.

S'MAI!

(134)

"Wel, drychwch arnoch chi i GYD. Sut mae hi'n mynd? Wedi gwneud eich  cynta?"

meddai Yncl Cefin,

 sydd eisoes wedi mynd o dan groen Dad.

"Doniol iawn," mae o'n mwmial.

Mae fy nghefndryd yn bwyta Donyts POETH ac maen nhw'n *ogleuo'n* fendigedig.

(Y Donyts, dim fy nghefndryd.)

"Mae'r Donyts yn edrych yn dda," meddaf fi, gan obeithio gwnaiff un o fy nghefndryd gynnig un i mi. Byddai hynny WIR yn mynd â fy meddwl ODDI AR Carwyn yn cael fy HOLL am DDIM.

"ROEDDEN nhw'n flasus. 'Dan ni wedi bwyta'r cwbl lot."

"O..."

(Mae heddiw fel tasa fo'n gwella bob munud ... go brin.)

Mae Anti Alis yn edrych o gwmpas ein stondin. Mae hi'n troi at Yncl Cefin ac yn dweud, "Mae hyn WIR yn syniad da. Dylen ni wneud SÊL CIST CAR hefyd."

"Efo beth? Does gennym ni ddim JYNC i'w werthu."

(Aiff hyn â blewyn o drwyn, Mam.)

"DIM JYNC ydi o, Cefin. Dim ond pethau nad ydym ni eisiau rhagor," meddai hi wrtho. Mae Cefin yn cydio yn un o hen hetiau doniol Dad.

"Galla i weld pam nad ydi hwn yn ddefnyddiol bellach!"

"Ella bydd o'n ddefnyddiol i rywun arall – dyna'r HOLL bwynt," ychwanega Mam. "Ylwch, dwi newydd brynu'r CLUSTLYSAU yma nad oedd rhywun arall eu heisiau, ond maen nhw'n berffaith i mi." Mae hi'n dangos dwy glustlws fach efo CATHOD a cherrig glas o'u cwmpas i ni.

"Ro'n i'n meddwl mai cael gwared o STWFF oedden ni, ddim prynu MWY?" medda Dad.

"Dyna rydan ni'n wneud! Ond ..."

Dyma ni, meddai Dad, gan aros am esboniad Mam.

"... aiff RHAIN yn BERFFAITH efo broetsh cath fy hen-hen-nain."

Mae Dad a fi yn fud.

"Dwi'n bwriadu cael y LLYGAID wedi'u cywiro mewn siop gemydd da. Yn enwedig gan fod DIEMWNTIAU a SAFFIRS go iawn ar y goler."

"Diemwntiau ..." mae
Dad yn ailadrodd.

"Ti'n siŵr?"

"Ydi hynny'n golygu ei bod hi'n werth
FFORTIWN 'ta?" dwi'n gofyn ac mae
Dad yn EDRYCH yn ddu arna i.

(137)

"Dwi'n meddwl 'mod i wedi gweld rhywbeth tebyg ar TRYSORAU'R TEULU."

(Dwi'n meddwl ein bod ni newydd wneud camgymeriad ENFAWR.)

"Ti'n OCÊ, Ffranc? Ti'n edrych fel 'sat ti wedi gweld YSBRYD," meddai Yncl Cefin.

"Dwi'n IAWN," meddai Dad. (Ond dydi o ddim yn edrych felly.)

"Felly dyna ti, Cefin. Dydi'r clustlysau yma ddim yn JYNC. Awn nhw yn hyfryd efo fy mroetsh CATH."

"Hei, ella gallwch chi WERTHU'R froetsh cath a phrynu car sy ddim yn concio allan o hyd!" meddai Yncl Cefin, gan dynnu coes a phwyntio at sgwtyr Nain a Taid.

"Mae'r car eisoes yn cael ei drwsio," meddai Mam yn llym.

"Does yna NEB yn cael gwerthu fy mroetsh i. DWI'N EI CHARU! Mae hi adre mewn lle SAFF."

(Biti na fyddai hi ...)

Dwi'n dweud dim tra bod Dad yn sibrwd wrtha i,
"Rhaid i ni ddod o hyd i'r hen ddynes!"
Trwy gydol yr amser, mae fy
nghefndryd wedi bod yn chwilota drwy
ein stondin ni. Maen nhw'n dechrau chwilio trwy focs.
"Hei, DRYCHWCH! Mae gennym ni
FYGIAU fel hyn adre."
Mae Mam yn CIPIO'R bocs yn sydyn
ac yn dweud, "Be mae'r RHAIN yn ei
wneud yma? Dydyn nhw ddim
ar werth." Yna mae hi'n eu gwthio o'r ffordd, cyn i
Anti Alis ac Yncl Cefin sylweddoli beth ydyn nhw.
"Pam nag ewch chi i gael sbec o gwmpas
gweddill y sêl?" awgryma.
"Syniad grêt," cytuna Dad.
Mae Yncl Cefin yn CURO Dad ar
ei gefn. "Pob lwc yn gwerthu gweddill
y JYNC!" meddai dan chwerthin.
(Dydi Dad ddim yn chwerthin.)

"A finna'n meddwl na allai heddiw fynd yn waeth," meddai Dad wrtha i.

"Reit! Dwi'n mynd i FFEINDIO yr hen ddynes yna a chael y froetsh yn ÔL," meddai Dad wrtha i'n dawel, fel na all Mam glywed.

"OCÊ," meddaf fi.

"Cymer y deg punt yma, Twm, ac os gweli di hi'n cerdded heibio, rho fo iddi ac eglura beth sy wedi digwydd. PAID â sôn am y diemwntiau, cofia ... neu ella gneith hi mo'i rhoi 'nôl."

"IAWN, Dad," meddaf fi gan roi'r arian yn fy mhoced.

"Am be ry'ch chi'ch dau yn SIBRWD?" mae Mam eisiau gwybod.

"DIM BYD!"

meddwn ni, fymryn yn rhy gyflym.

"Yn mynd i chwilio am Mam a Dad i wneud yn siŵr eu bod nhw'n IAWN oeddwn I," meddai Dad, gan feddwl AR EI DRAED.

Mae Dad yn rhedeg i ganol tyrfa o bobl tra dwi'n cadw llygaid barcud  rhag ofn i'r hen wraig ddod yn ei hôl. Mae Mam wrthi'n brysur yn gwerthu a siarad efo pawb. Sy'n beth da, achos pe bai hi'n GWELD y ffordd mae Dad yn RHUTHRO o gwmpas ella byddai hi'n amau bod yna ddrwg yn y caws!

Dwi'n gwneud fy ngorau i drio gweld yr hen ddynes hefyd. Ond y cwbl dwi wedi'i weld hyd yma ydi Dad yn rhedeg heibio bedair gwaith. Yna, yn SYDYN, dwi'n gweld dynes efo sgarff am ei phen yn sefyll GYFERBYN â'n stondin ni. Hi ydi hi! Dwi'n BENDANT. →

Dwi'n dweud wrth Mam, "Dwi ANGEN edrych ar y stondin acw - RŴAN HYN!"

"IAWN, Twm. Pwylla. Jyst aros ble galla i dy weld ti," meddai hi wrtha i.

Dydi'r hen ddynes ddim wedi symud. Dwi ar fin RHUTHRO draw pan mae Mam yn fy rhwystro.

"DAL DY AFAEL! - Aros, Twm."

(Beth RŴAN?) "Mam, rhaid i mi FRYSIO!"

"Wyt ti eisiau rhywfaint o'r arian ti wedi'i wneud rhag ofn i ti weld rhywbeth ti ffansi?"

"O ... ydw, plis."

Mae Mam yn rhoi ychydig o bunnoedd i mi. Doeddwn i ddim wedi disgwyl hyn. Dwi'n troi o fy amgylch a gwthio drwy'r dyrfa nes dwi'n cyrraedd yr hen ddynes efo'r sgarff. Mae hi'n sgwrsio efo rhywun arall ac mae ei chefn hi ataf i.

Fydd Dad MOR BLES.

Dwi'n ei thapio ar ei chefn a dweud ...

Helô, Twm. Fi sy 'ma.
Mrs Nap. Mae gen i ofn nad
ydi dy froetsh cath di gen i.

(Wnaeth Bryn ddim dweud wrtha i fod Mrs Nap yn gwisgo SGARFF!)

O NA – y fath gywilydd.

"Ddrwg gen i, Mrs Nap. Ro'n i'n meddwl mai hen ddynes oeddech chi."

"Diolch, Twm. Dwi'n aml yn teimlo fel hen ddynes ar ôl wythnos o ddysgu!"

Mae yna gloc cwcw yn tynnu fy sylw.

Dwi wastad wedi bod eisiau cloc cwcw.

Sgwn i ydi o'n gweithio?

"Gobeithio ddoi di o hyd i dy froetsh cath, Twm," meddai Mrs Nap wrthaf i.

(O ia ... y FROETSH CATH.)

"A fi," meddaf finnau, gan astudio'r cloc ymhellach. "Diolch, Mrs Nap. Mae Dad yn chwilio am yr hen ddynes hefyd. Dwi ddim yn sicr os gwnawn ni ddod o hyd iddi. Mae yna gymaint o bobl yma."

"Pob lwc, Twm," meddai Mrs Nap wrth iddi gerdded ymaith.

Dwi'n gofyn faint ydi pris y cloc ... BARGEN!

"Be ydi hwnna?" gofynna Mam pan dwi'n dychwelyd.

"Cloc cwcw. Dwi'n meddwl ei fod o'n gweithio," meddaf fi yn hwyliog.

"Wyt ti WIR angen cloc cwcw, Twm?"

"YDW! Dwi wir angen o!" meddaf fi.

(Pwy sydd ddim?)

"Ble ti'n mynd i'w roi o?" mae hi am wybod.

"Mae gen i DDIGONEDD o le GWAG ble roedd fy **nghomics** yn arfer bod," dwi'n atgoffa Mam. (Dwi'n DAL ddim yn HAPUS 😟 bod Carwyn 😠 wedi'u cael.) "A wnaiff o sŵn LLAWER neisiach na'r CLOC LARWM wnest ti ei roi i mi." (Sy'n wir.)

Dwi'n **GYFFROUS** i ddangos fy nghloc newydd i Dad pan ddaw o yn ei ôl.

"Wnei di byth ddyfalu be dwi wedi'i ffeindio!" meddaf fi pan dwi'n ei weld ac mae Dad yn rhoi CWTSH MAWR i mi.

"Da iawn, Twm, ti'n GLYFAR AR Y NAW!" (Sy'n hyfryd.)

"Ro'n i'n MEDDWL ein bod wedi'i CHOLLI am BYTH. Gad i ni gael sbec 'ta." Mae o'n fwy cyffrous na fi am fy nghloc cwcw. Nes i mi ei ddangos iddo.

"BE YDI HWNNA?"

"Cloc cwcw," meddaf fi. (Pam nad oes neb yn gwybod sut mae cloc cwcw yn edrych?)

"Ro'n i'n meddwl dy fod wedi ffeindio ... " ochneidia.

"O, ddrwg gen i. Wnes i weld hen ddynes mewn sgarff ond Mrs Nap oedd hi," egluraf.

"Ddigwyddodd hynny i mi hefyd. Dydi'r froetsh cath ddim gen i. Does gen i ddim syniad i ble mae'r hen ddynes wedi mynd rŵan," meddai Dad.

"Wyt ti'n dal i chwilio am Bob a Myfi?" mae Mam yn hanner clywed ein sgwrs ac yn meddwl bod Dad yn dal i drio dod o hyd i'r **FFOSILIAID**. Felly mae o'n chwarae'r gêm ...

"Ydw, dwi wedi chwilio ym MHOBMAN. Maen nhw wedi diflannu'n LLWYR!" meddai Dad.

"Mae'n nhw'n fan'cw," meddai Mam gan bwyntio at ...

147

... Y **FFOSILIAID**, sy'n
gorffen eu sglods.

(MWY o <u>sglods</u>

yn achos Taid.)

Gyda'r sêl cist car bron ar ben a DIM golwg o'r
HEN ddynes efo'r froetsh yn UNLLE, rydan ni i gyd
yn dechrau pacio a pharatoi i fynd adre.

Mae Taid yn dweud bod yn ddrwg ganddo na
ches i'r sgwtyr bach yn y diwedd. Ddywedais i bod
hynny'n iawn achos RŴAN mae gen i gloc
CWCW (a phêl fach fownsio,
ond wnes i ddim dangos honno i Mam.)

Mae Taid a Nain yn mynd â'u sgwtyr yn ôl adre a
rydan ni'n cario'r bagiau a'r bocsys sydd ar ôl i'r
siop elusen. (Gan gynnwys y mygiau a'r fasys.)

"Dydi Alis a Cefin ddim yn mynd i siopau elusen. Wnawn nhw mo'u gweld nhw yn fan hyn," meddai Mam.

"Gobeithio dy fod ti'n iawn – neu wna i BYTH glywed ei diwedd hi," meddai Dad.

"Ella gwnawn nhw eu gweld os cawn nhw eu rhoi yn y ffenest," meddaf fi. "Fel gwnes i weld fy **NGHIT DRWM** BACH," ychwanegaf, jyst er mwyn atgoffa Mam a Dad 'mod i'n gwybod beth ddigwyddodd go iawn.

"Wnei di ddeall pan ti'n hŷn," meddai Dad wrtha i. Mae Mam a Dad yn meddwl 'mod i wedi bod yn hogyn da heddiw, felly dwi'n cael cwpwl o ffilmiau cartŵn dwi'n WELD yn y siop elusen. AC oherwydd ein bod ni i gyd wedi blino'n lân, 'dan ni'n dal y bws adre. Dwi'n eistedd ar lawr cynta'r bws ac mae Dad yn dweud wrtha i'n ddistaw, "Ella bydd rhaid i mi ddod o hyd i froetsh arall yn ei lle. Achos dydi'n siawns ni o weld yr hen ddynes yna eto ddim yn grêt, Twm."

"Wna i ddal ati i chwilio," meddaf fi.

"Wyddost ti ddim, Dad. Gallai hi fod reit o dan ein trwynau."

Pan 'dan ni'n cyrraedd adre, mae Delia yn ei stafell.

"Allwch chi ogleuo paent? Dwi'n gallu ogleuo paent."

"Dwi ddim," meddai Dad, gan eistedd yn ei hoff gadair.

"Mae eisiau i ti siarad efo Delia am baent a drysau sy wedi cloi," meddai Mam.

"Oes rhaid i mi? All o ddim AROS?"

"Gall, mae'n siŵr," ochneidia Mam.

Dwi'n mynd i gael SGWRS efo hi yn lle hynny.

"Wyt ti eisiau gweld fy NGHLOC NEWYDD?" gwaeddaf, gan guro ar ei drws.

"NADW," mae hi'n gweiddi yn ôl.

"Be ti'n wneud?" gofynnaf.

"Dos o'ma, Twm. A phaid â gadael dy gloc larwm tu allan i fy stafell eto neu falle caiff o'i **FALU**."

(Anghofiais 'mod i wedi gwneud hynna! Ha! Ha!)

Dwi'n mynd i fy stafell a phenderfynu rhoi PRAWF ar fy nghloc newydd drwy droi'r dwylo i BOB AWR, er mwyn gweld a ydi o'n gweithio.

CWCW   Mae O!

Mae o MOR UCHEL nes bod Delia'n gallu ei glywed. Dwi'n e wneud o eto ... ac eto!

(151)

LLYFR BRASLUNIO

Dyma ychydig o frasluniau gafodd eu
HYSBRYDOLI gan y sêl heddiw.

Fy nhaid SLEI
yn esgus NAD
YDI O wedi
bwyta SGLODS

Pa SGLODS?

← Sglods
SLEI

Dad pan gafodd
o SYRPRÉIS.
(DIM un da.
Alla i ddim dweud
beth oedd o.)

NA!

Mae Mr Ffowc yn ÔL!

Dwi'n ôl!

Mae Mr Ffowc yn well ac mae o'n gwenu
(sy'n anarferol). Felly pan mae Carwyn yn eistedd
drws nesa i mi, yn hytrach na'i atgoffa MOR
LWCUS oedd o i gael ei ⟶FACHAU ar FY
NGHOMICS yn y sêl cist car,
dwi'n dweud,
"Dwi'n eitha BALCH mai Mr Ffowc yw ein
hathro unwaith eto." (Sydd DDIM yn rhywbeth ro'n
i'n feddwl baswn i'n ei ddweud.)

Mae Carwyn yn cytuno. A fi.

(Sydd ddim yn digwydd yn aml chwaith.)

Mae o BRON yn bod yn neis.

Yna, am RYW rheswm, mae o'n fy nrysu drwy
benderfynu rhoi PUMP UCHEL i mi.
Ond mae o'n cadw i FETHU fy llaw.

Be?

Pump Uchel.

Mae hyn yn LLETCHWITH.
Mae ei BUMP UCHEL yn
fwy fel ...

tri isel.

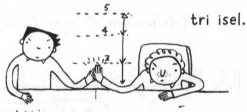

"Wyt ti'n trio bod yn DWPSYN, Twm?"

gofynna Carwyn i mi, fel mai FI sydd ar fai.

Dwi'n falch pan mae Mr Ffowc yn dechrau
galw'r gofrestr. ☹

 **"BORE DA, DOSBARTH 5C. BRAF EICH GWELD CHI I GYD."**

"Bore da, Mr Ffowc,"

rydan ni'n ateb mewn modd HYNOD o NEIS a HWYLIOG. ☺

"Gobeitho eich bod wedi byhafio a bod mor boleit â HYN i Miss Iodel," ychwanega.

(Hmmmmm. O ryw fath.)

Mae Mr Ffowc yn dweud ei fod o am fynd rownd y dosbarth i gael sgwrs DAL-I-FYNY SYDYN efo bob un ohonon ni er mwyn gwneud yn sicr ein bod ni i gyd yn barod am ein **DIWRNOD Busnes!**

"Dwi MOR barod," meddai Carwyn.

"A finna," meddaf i. (Dydw i ddim.)

Pan ddaw Mr Ffowc i'n bwrdd ni, dwi'n gorfod gwrando ar Carwyn yn dweud wrtho am ei syniad O ar gyfer y ffolders comics.

"Ydi Carwyn newydd ddeud mai ei syniad O oedd gwneud y ffolders comics?" dwi'n gofyn i eFA, er mwyn gwneud yn siŵr nad ydw i'n clywed pethau.

"Ydi, dyna ddywedodd o," ateba eFA. Mae Mr Ffowc eisoes wedi siarad efo Marc a Norman, felly mae o'n gwybod beth dwi'n wneud ac mae o'n dweud,

"Dwi'n edrych ymlaen i drio un o'ch CACENNAU blasus, Twm."

(Ha! Mae o'n dweud hynny RŴAN.)

Pan aiff Mr Ffowc yn ôl at ei ddesg, dwi'n dweud wrth Carwyn, "Dy syniad di, Carwyn?"

"Does dim ots syniad pwy oedd o. 'Dan ni i gyd yn cydweithio i godi arian," meddai Carwyn.

(GWIR ... ond mae o'n DÂN AR FY NGHROEN).

Wyddoch chi bopeth ddywedais i am golli Mr Ffowc

. . . dwi'n DIFARU. Achos RŴAN ei fod o'n teimlo'n WELL mae o'n gwneud i ni **weithio'n** GALED. Mae hi fel pe bai Mr Ffowc wedi cael ei BWERAU ARALLFYDOL o weld a chlywed yn ôl hefyd.

"Cadwa'r comic yna, Twm. Dwi'n gallu ei weld y tu ôl i'r llyfr."

Mae o newydd ✏️ bwyntio at bentwr o daflenni gwaith a dweud, **"Heddiw byddwn yn gweithio ar RHAIN. Ro'n i'n meddwl byddai hwn yn bwnc HWYLIOG i CHI ei wneud."**

(Hwyliog ... ydi o o ddifri? Mae ô'n bentwr ENFAWR.)

Yna mae o'n eu rhannu nhw.

CHWEDLAU A STRAEON TYLWYTH TEG

Dyma eich cyfle i ysgrifennu CHWEDL neu STORI DYLWYTH TEG.

Meddyliwch am steil y storiau rydym ni wedi bod yn eu darllen, fel *Robin Hood*.
- Meddyliwch am BLE mae eich stori wedi ei lleoli.
- Cofiwch gynnwys CYMERIADAU difyr.
- Rhowch DDECHRAU grêt iddi, CANOL ffantastig a DIWEDD gwych.

Gallwch orffen ysgrifennu eich chwedl neu stori fel gwaith cartref os na ddewch chi i ben yn y dosbarth. Mwynhewch!

Mr Ffowc

Ffiw... 😊 Dydi hynna ddim cynddrwg â hynny.

Dwi'n mynd i sgwennu stori am 👹 ELLYLL

SY'N BOEN OFNADWY ac sy'n dwyn syniadau

pobl eraill.

(Epig!)

Dwi'n dechrau sgwennu ond hefyd yn dechrau

dychmygu 'sut' byddai'r ellyll yn edrych.

(Daw ysbrydoliaeth o bob man.)

Yna dwi'n cymryd CYMAINT o amser

i dynnu llun fy ellyll, fel 'mod i'n rhedeg allan o

amser i sgwennu fy stori.

😠 Mae Mr Ffowc yn dweud bod yn rhaid i

mi ei gorffen adre.

O wel, dim ots.

Dyma fy ellyll. Ydi o'n eich atgoffa o rywun?

Yr ELLYLL oedd yn boen ac oedd yn meddwl ei fod o'n iawn am bob dim.

Pan dwi'n cyrraedd adre, mae

Dad yn stompio o gwmpas ein tŷ.

"S'mai Dad," meddaf fi a *THAFLU*

fy mag ysgol i lawr.

Mae Dad yn dal darn o bapur ac yn ei CHWIFIO

o gwmpas sy'n gwneud i mi {FEDDWL} 'mod i

mewn trwbwl.

"S'mai Twm. Wyt ti'n gwbod faint

wnaiff hi gostio i drwsio ein car?" gofynna i mi.

(O leia dydi hyn DDIM amdana i.)

Dwi'n codi fy ysgwyddau a DYFALU.

"MILIWN o bunnoedd?"

"Dwyt ti ddim yn bell ohoni. Wnaiff hi gostio

ffortiwn i gael yr hen sgip rydlyd yna yn ôl ar y

ffordd. Waeth i ni gael car newydd."

"IEI! CAR NEWYDD!" cytunaf.

"Dim ond HEN groc allwn ni ei fforddio, ond mae gennym un o'r rheini'n barod. Rhwng hyn A cholli broetsh dy fam ..." mae Dad yn ochneidio.

Mae o'n edrych dan fymryn o straen. Felly dwi ddim yn ei atgoffa nad ei *CHOLLI* wnaethon ni mewn gwirionedd – ond ei GWERTHU am BUNT. Dwi'n ceisio CODI EI GALON gydag awgrym DA.

"Ella medrwn ni gael ein sgwtyr ein HUNAIN ar gyfer unrhyw ARGYFWNG?"

Sy'n gwneud i Dad chwerthin.

"Mewn ychydig o flynyddoedd ella, Twm," meddai o, cyn ychwanegu, "Mae hynna'n fy atgoffa. Wnes i FFEINDIO math arall o drafnidiaeth yn CUDDIO yn y sied. Dwi'n meddwl gallwn ni ei ddefnyddio. Ti eisiau dod i gael tro?"

"YDW, PLIS!" meddaf fi, achos mae hyn yn swnio fel HWYL o o o

Pan mae Mam yn dod adre mae hi'n cael
tro hyd yn oed! (Dydi Delia ddim ...)

LLYFR BRASLUNIO

Ystum mynegiant Mam pan mae hi'n rasio Dad ar y sbonciwr.

(Mam enillodd)

Delia heb ei chyffroi

Fi, efo cywilydd pan mae Mam yn gwneud rhyw ddawns ddathlu rhyfedd ...

Rŵstyr yn bod yn gi

DIWRNOD Busnes

(Ddim heddiw. Fory.)

Mae Mr Ffowc eisiau gwybod a ydym ni'n barod ar gyfer fory.

Rydan ni'n mynd i godi MWY O ARIAN NAG ERIOED, TYDAN, DDOSBARTH 5C?

"Ydyn!" 'dan ni i gyd yn cymeradwyo. A'r drws nesa, mae dosbarth Mr Sbrocet yn cymeradwyo ar yr un pryd yn UNION.

Iei!

Felly mae Mr Ffowc yn dweud,

"DWI DDIM YN GALLU EICH CLYWED, DDOSBARTH 5C!"

(Fel petai hi'n gystadleuaeth gymeradwyo ...)

"IEI!"

(... rydan ni'n ei hennill.) ☺

Mae **EFA** a Carwyn a gweddill eu grŵp wedi gwneud y ffolders **COMICS**.

Dwi'n gofyn i Carwyn, "Ga i weld un?"

"Paid â chyffwrdd! Paid â gwneud llanast, Twm," mae o'n cyfarth arna i.

Mae **EFA** yn ei anwybyddu ac yn dangos ffolder i mi beth bynnag.

"Be ti'n feddwl?" gofynna i mi.

"Maen nhw'n edrych yn grêt, **EFA**. Mae hi'n braf gweld **FY** hen gomics yn cael eu defnyddio eto!"

"Dy gomics di? Dywedodd Carwyn mai ei gomics O oedden nhw."

Felly dwi'n egluro ... ➡

"Fy nghomics i oedden nhw, wedyn wnaeth fy mam eu rhoi i Carwyn."

"Sy'n golygu mai fi PIAU nhw," ychwanega Carwyn.

(Sy'n wir – ond fi OEDD piau nhw.)

"Ro'n i'n eu gwerthu nhw yn y sêl cist car, beth bynnag," egluraf.

"O DO, WELAIS i ti yno," meddai **EFA**.

"WNEST ti?"

"Do, wnes i a Ffion dy wylio di'n TAPIO Mrs Nap ar ei chefn a siarad efo hi am OESOEDD," meddai **EFA** wrtha fi.

"Mae hi'n STORI **HIR**." Dwi'n ceisio egluro pan mae Carwyn yn BUSNESU a dweud, "**NADI**, ddim. Dwi'n gwbod beth ddigwyddodd. Wnaeth Twm WERTHU HEN froetsh **ddrud** arbennig ei fam am **BUNT**. Roedd o'n trio ei chael hi 'nôl."

"Gan Mrs Nap?"

"Ro'n i'n meddwl mai hi oedd yr hen ddynes wnaeth brynu'r froetsh. Roedden nhw'n edrych yn debyg – camgymeriad oedd o."

(Mae hyn yn mynd yn gymhleth.)

"Ydi dy fam yn gwbod dy fod ti wedi gwerthu ei broetsh werthfawr am BUNT eto?" gofynna Carwyn i mi.

"NA – a wnaiff hi ddim ffeindio allan achos dwi'n mynd i'w chael hi 'nôl," meddaf fi yn llym.

"Betia i na wnei di."

"Gwnaf. Gei di weld."

(Ella na wnaf i – ond does dim angen i Carwyn wybod hynna.)

Mae EFA yn fy nghefnogi i ac yn dweud, "Rho'r GORAU iddi, Carwyn. Ella gwnaiff Twm ddod o hyd iddi. Wyddost ti ddim."

Yna daw Norman a Marc draw i 'ngweld i er mwyn trafod EIN cynlluniau gwneud cacennau.

HEI!

Ein CYNLLUN hyd yn hyn yw GWNEUD CACENNAU.

Dyna ni. ☺

Mae Marc 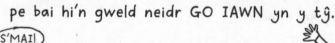 eisiau gwybod a chaiff o ddod â'i

NEIDR anwes i'n tŷ ni, sy'n gwestiwn da.

Wna i feddwl am y peth. Hmmm ...

Beryg byddai Delia yn FFRÎCIO ALLAN

pe bai hi'n gweld neidr GO IAWN yn y tŷ.

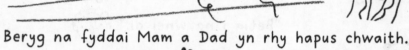
S'MAI!

Beryg na fyddai Mam a Dad yn rhy hapus chwaith.

Neidr      Neidr

Gallai fod yn ANHREFN.

Felly dwi'n dweud wrth Marc,

Wrth GWRS cei di ddod â dy neidr. Pam lai? Bydd yn SBORT!

(Croesi bysedd.)

Mae gweddill y diwrnod yn gwneud i fy YMENNYDD. FRIFO.

Dydi MATHS ddim yn un o fy mhynciau gorau ac, yn waeth byth, mae hi'n edrych fel bod pawb arall yn deall BETH mae Mr Ffowc yn ei ddweud. (Dwi ddim.)

Dwi'n gwneud wyneb "Dwi'n canolbwyntio" ac yn meddwl am bethau eraill. Fel CACENNAU. Dwi'n tynnu lluniau rhai fyddai'n WYCH i'w gwerthu ...

a'u BWYTA.

Wafferi cyfan

Cacen ENFAWR

Wafferi

Cacen anghenfil

BYW MEWN GOBAITH

Mae hyn yn cymryd fy holl amser nes diwedd y wers.

Wrth gerdded adre

Mae Derec yn dweud popeth wrtha i am beth mae ei grŵp o wedi'i wneud.

Sy'n swnio'n ARDDERCHOG.

 GÊM YNYS Y TRYSOR ydi hi a'r WOBR ydi cist drysor wedi'i STWFFIO efo trîts da. Y cwbl sy'n rhaid i chi ei wneud yw dyfalu BLE mae'r trysor wedi'i gladdu.

"Ti'n gwbod ble mae o?" gofynnaf i Derec.

"Na. Dim syniad!" (Sy'n biti.)

(Rydych chi'n sgwennu eich enw ar fflag yna ei osod ar sgwâr ar y map trysor.)

Ynys dywod a modelau

Mae Mam yn dal yn y gwaith pan dwi'n cyrraedd adre. Ond mae hi wedi gadael NODYN.

I Twm,
Whaiff Dad dy helpu i wneud bisgedi.
Cariad, Mam x

BISGEDI?

Ond beth am

wneud CACENNAU?

Dwi'n mynd i chwilio am Dad, sydd yn y sied. Dwi'n ei atgoffa bod Norman a Marc yn dod draw.

"Roeddem ni eisiau gwneud

CACENNAU!" meddaf fi.

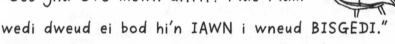

"Oes yna OTS mewn difrif? Mae Mam wedi dweud ei bod hi'n IAWN i wneud BISGEDI."

"Ocê 'ta ..."

"Paid â phoeni, Twm. Mae popeth dan reolaeth," meddai Dad.

(Dwi ddim mor siŵr.)

Dwi'n dychwelyd i'r tŷ wrth i Norman a Marc gyrraedd. Mae'r ddau wedi dod ag ychydig o gynhwysion YCHWANEGOL. Ond dim NEIDR.

(Sy'n BITI garw.)

173

"Roedden nhw i GYD yn cysgu. Doeddwn i ddim am eu styrbio nhw," eglura Marc.

(Beth mae o'n feddwl NHW? Faint o nadroedd sydd ganddo?)

Mae Norman wedi dod â pheth torri bisgedi siâp OD, sy'n eitha defnyddiol a dweud y gwir, gan ein bod ni rŵan yn gwneud bisgedi.

"Be ydi hwn?" dwi'n gofyn.

"Dwi'n meddwl mai DEILEN ydi o neu gallai fod yn ÊLIYN.

"Anodd gwybod," meddai Norman.

Daw Dad i mewn o'r SIED a dweud, "REIT. Golchwch eich dwylo, hogia, a GADWCH i ni fwrw iddi, ia?"

Mae Dad yn ceisio bod yn hwyliog a threfnus.

"Rhain fydd y bisgedi GORAU ERIOED," meddai Marc, wrth iddo rwbio'i fol a churo'i ben.

Sydd ddim yn beth HAWDD i'w wneud.

Rydan ni'n golchi ein dwylo, cyn i ni gyd roi cynnig ar gopïo Marc. Rydan ni'n dechrau mynd i hwyl pan mae cloch y drws ffrynt yn canu eto.

Pwy sy 'na?

DING

DONG

"Ceisiwch ei wneud o'r ffordd arall," meddai Norman.

"Wna i ateb y drws," meddai Dad.

"Fy ARF CUDD i fydd yna."

"Pa arf cudd?" gofynnaf i Dad wrth i mi guro fy mhen

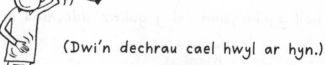

ac yna (newid dwylo.)

(Dwi'n dechrau cael hwyl ar hyn.)

Gei di weld!

"**W**naeth rhywun sôn am FISGEDI?" meddai
Nain gan gerdded i mewn yn
chwifio rhywbeth tebyg i RYSÁIT.
Sy'n NEWYDDION da achos mae bisgedi
Nain yn gallu bod ychydig yn OD.
"**D**wi yma i HELPU!" gwena Nain.

Bisgedi dannedd

"Jyst mewn pryd! Mae'r hogiau'n barod,"
meddai Dad – cyn ein gadael ni a
dychwelyd i'w sied.

"Byddwn ni'n TSIAMPION, byddwn, hogia?" (Ella.)
"Dwi yma os byddwch fy angen i," ychwanega Dad.

Mae Nain yn gwneud lle ar y bwrdd ar gyfer yr
holl gynhwysion fel y gallwn ddechrau arni.

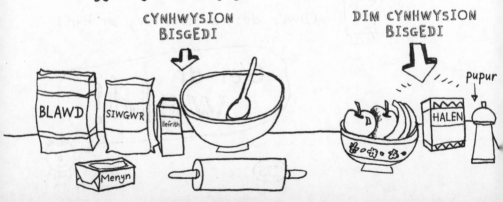

CYNHWYSION
BISGEDI

DIM CYNHWYSION
BISGEDI

pupur

BLAWD   SIWGWR   llefrith   HALEN

Menyn

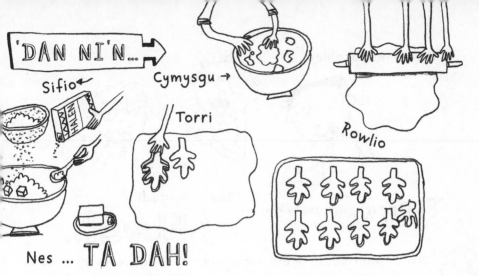

'DAN NI'N...

Sifio

Cymysgu →

Torri

Rowlio

Nes ... TA DAH!

mae ein bisgedi yn barod i fynd i'r popty.

"Da iawn, hogia. Bydd yn rhaid i mi eu pobi fesul swp gan fod gennym GYMAINT."

(DEG HAMBWRDD i gyd!)

Rydan ni'n mynd i wylio'r cartŵn brynais i yn y siop elusen.

"Bydd ein bisgedi yn HYNOD boblogaidd. BE AM FWYTA RHAI RŴAN?" meddai Norman, achos ei fod yn llwglyd.

"Syniad da. Mae'n rhaid profi sut maen nhw'n blasu," cytunaf. Felly pan mae Nain yn ein galw i'r gegin, dyna wnawn ni!

(Ond mae problem.)

"EEEEEwwwwwwww..." Mae'r bisgedi'n

AFIACH.

"Wn i ddim be sy wedi digwydd," meddai Nain gan dagu.

"Maen nhw'n wironeddol GALED, fel

 ac maen nhw'n blasu'n hallt,"

meddai Norman. (Sy'n wir.)

"MAE HON YN DRYCHINEB
ENFAWR!

"Be 'dan ni'n mynd i'w wneud RŴAN?"

gofynnaf, gan obeithio caiff RHYWUN syniad da.

"Gawn ni ddechrau eto?" mae Marc eisiau gwybod.

Ond dwi ddim yn meddwl bod gennym ni ddigon o amser.

(Mae HYN wedi digwydd o'r blaen ... dwi'n siŵr.)

Mae'r **DIWRNOD Busnes** FORY - a rhaid i

Norman a Marc fynd adre cyn bo hir.

Daw Dad i mewn o'r sied i weld sut rydan ni'n dod 'mlaen. "Mae'r bisgedi yna'n *ogleuo'n* HYFRYD!"

"Blasa un – wnei di newid dy feddwl," rhybuddiaf.

Felly dyna mae o'n wneud ...

"O diar," meddai Dad, gan roi gweddill y fisged yn y bin.

"Fedrwch chi ddim jyst PRYNU bisgedi?" awgryma.

"Na, Dad. 'Dan ni i fod i *WNEUD* pethau i'w gwerthu. Dyna'r HOLL BWYNT!" egluraf. Dwi'n edrych ar Norman a Marc sydd jyst yn syllu'n syn. Mae Norman yn brathu bisged arall a bron yn TORRI ei ddant.

"Anobeithiol," meddai dan wingo. CRAC
"Alla I ddim hyd yn oed eu bwyta."

Pan mae Delia yn dod adre mae hi'n dechrau creu trwbwl yn syth.

"Helpa dy hun," dwi'n mwmial mewn llais wedi CAEL DIGON.

Bisgedi ydi'r rhain?

"Maen nhw'n edrych ychydig yn ... GALED."
Mae Delia yn dechrau CURO bisged ar blât.

"Dydych chi DDIM yn trio GWERTHU rhein, does bosib?" Mae hi'n WALDIO'R fisged ar y bwrdd rŵan.

"DIM BELLACH. Oes gen ti unrhyw syniadau?" meddaf fi, yn biwis, tra bod Norman a Marc yn gwneud lol efo'r bisgedi.

Aiff Delia i'r cwpwrdd ac estyn rhywbeth sy'n debyg iawn I FWYD ADAR.

"Be ydi HWNNA?"

POPCORN.

"Wyt ti'n SIŴR?" gofynnaf yn amheus.

"Dydi o heb ei goginio eto, y twpsyn. Rhaid i ti ei BOPIO yn gynta."

(Ro'n i'n gwybod hynna.)

"Dwi'n CARU popcorn," gwaedda Norman.

"A FINNA!" ychwanega Marc.

Mae Nain yn cytuno. "Am SYNIAD GRÊT, Delia!"

"Gadewch i ni ddefnyddio'r peiriant popcorn gawsoch chi y llynedd. Bydd yn gyflymach ac yn haws."

Dwi wedi **DYCHRYN** bod Delia wedi HELPU ac wedi cynnig SYNIAD DA.

(Sy'n neis ond yn amheus.)

Amheuaeth

Rydan ni'n dechrau gwneud y popcorn ond mae Nain yn cadw awgrymu BLASAU OD i ni eu trio.

"Be am tsili ~~~~ ac oren ? Swnio'n fendigedig." (Dim i mi!)

"Wnaiff plant ddim hoffi hwnna, Nain."

"BASWN I!" gwaedda Norman.

Rydan ni'n ei anwybyddu ac yn y diwedd 'dan ni'n gwneud popcorn sydd ychydig bach yn FELYS.
A phopcorn sydd tamed bach yn **Las**.

"Dim ond dropyn neu ddau o liw bwyd NATURIOL. Welwch chi pa mor ddifyr mae o'n edrych rŵan?" meddai Nain.

(Mae o jyst yn edrych yn LAS i mi.)

Ymddengys bod bwyta ein popcorn yn gwneud eich dwylo ychydig bach yn LAS – a'ch dannedd hefyd.

"Peidiwch â phoeni. Wnaiff o olchi i ffwrdd," mae Nain yn ein sicrhau.

Mae hi'n dweud yn UNION yr un peth wrth Mam ...

Ti'n LAS ofnadwy.

Ac wrth dad Marc (Mr Clwmp) pan ddaw o i'w nôl o a Norman. Tra aiff Marc i nôl ei GÔT, mae

Wedi bod yn brysur?

Mam yn mynnu 'mod i'n golchi fy nwylo yn y gegin. (Ymddengys bod Nain yn IAWN wedi'r cwbl ac mae'r lliw yn diflannu.)

Mae Marc yn cymryd OES PYS i ddod 'nôl. "Be mae o'n wneud?" meddyliaf ac mae Norman yn dweud, "Swnio fel ei fod o'n SIARAD efo fo'i hun."

Gallwn ei glywed yn dweud,

Be wyt TI yn ei wneud yma, y neidr ddrwg?

(Ydi Marc newydd ddweud NEIDR?)

Iei

(Wnaeth o ddweud NEIDR.)

"Ylwch pwy sy ym mhoced fy NGHÔT! Sleifiodd i mewn heb i fi weld. NEIDR SLEI!" Mae Marc yn dangos ei neidr i ni, sy'n edrych yn ddigon cyfeillgar. Mae hi'n AWYDDUS iawn i ddweud helô.

> Helô!

Dydi Mam ddim cweit mor awyddus – a dydi Delia ddim yn hongian o gwmpas am eiliad.

"Mae ganddi alergedd i anifeiliaid anwes," eglura Mam wrth Mr Clwmp wrth i Delia ddiflannu i fyny'r grisiau AR WIB. Yn drist iawn, ☹ mae tad Marc yn gwneud iddo roi ei neidr i gadw cyn iddi FYWIOGI gormod. Fel NEIDR Marc, mae Norman WASTAD yn fywiog ac mae o'n chwifio hwyl fawr.

"Wela i ti fory. Dylai Marc ddod â'i NEIDR efo fo," gwaedda.

 Mae Mr Clwmp yn dweud bod hynny DDIM yn mynd i ddigwydd. (Sy'n biti.)

Ond o leia mae gen i LWYTH o syniadau NEWYDD i'w darlunio yn fy 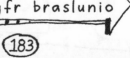 llyfr braslunio RŴAN.

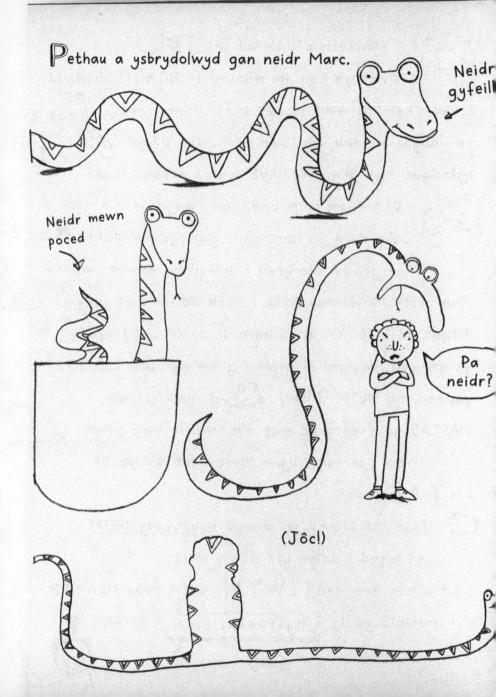

Delia yn dod wyneb yn wyneb efo neidr.

Mae'r **DIWRNOD Busnes** HEDDIW o'r diwedd.

(Wnaeth Mam helpu i roi'r popcorn mewn bagiau'n barod i mi ei gludo i'r ysgol. Mae o'n edrych yn eitha da, hyd yn oed os mai fi sy'n dweud hynny.)

Gan nad ydi'r car wedi cael ei drwsio eto, mae Dad yn dweud y gwnaiff o fy helpu i a  Derec i gario'r holl stwff i'r ysgol (sydd ddim yn drwm yn fy achos i, gan mai bagiau o bopcorn ydyn nhw).

"Pob lwc heddiw!

A, Twm, mae Nain a Taid Clwyd WIR eisiau i ti fynd DRAW ar ôl yr ysgol. Dwi'n meddwl bod ganddyn nhw syrpréis i ti. IAWN?"

"Iawn, Mam," meddaf fi. (Heb wrando yn iawn.)

"Be am gael popcorn GLAS ar gyfer fy syrpréis PEN-BLWYDD, ia?" meddai Mam, gan WENU.

Bob tro mae Mam yn sôn am ei phen-blwydd, dwi a Dad yn cadw'n dawel. Mae o wedi digwydd ychydig o weithiau erbyn hyn, felly mae Mam yn dechrau *MEDDWL* ein bod ni'n CYNLLUNIO rhyw syrpréis MAWR iddi. Yr unig syrpréis hyd YMA ydi ein bod ni wedi gwerthu ei broetsh hi am bunt.

(Nawn ni ddim ddweud HYNNA wrthi.) O na ...

"Dwi'n dal i chwilio am froetsh, Twm. Dwi DDIM yn rhoi'r ffidil yn y to, OND, jyst rhag ofn, mae gen i gynllun wrth gefn," meddai Dad wrtha i.

"Be ydi o, Dad?" dwi'n holi.

"Rhywbeth ... hynod GRÊT."

(Sy'n golygu nad ydi o wedi meddwl
am ddim byd eto. Dwi'n gallu dweud.)

YN yr ysgol ...

Mae hi'n ddiwrnod HEULOG braf. Perffaith ar gyfer y **DIWRNOD Busnes.** Felly mae **Mr Preis** wedi gofyn i Stan, y gofalwr, i osod byrddau y tu allan, ar dir yr ysgol, ac mae o wrthi'n brysur yn gwneud hynny. Mae Derec a minnau yn anelu am ein dosbarthiadau pan mae **Mr Preis** yn gwneud cyhoeddiad ar yr UCHELSEINYDD i ATGOFFA PAWB ...

"Heddiw fydd y DIWRNOD Busnes GORAU ERIOED!"

(Gobeithio!)

Mae baner **FAWR** a ddefnyddiwyd ar gyfer **DIWRNOD Busnes** llynedd wedi cael ei chodi. Mae rhywun wedi ychwanegu llythyren YCHWANEGOL. Dwi ddim yn credu bod yr athrawon wedi sylwi eto.

S^TÊ L
YSGOL CAEDERWEN!

Dywed Mr Ffowc y cawn ni wersi "ARFEROL" tan amser cinio ac mae o am i ni gario ymlaen efo'n SAESNEG. Ond all neb ganolbwyntio.

"Mae yna lawer o 'siarad'. Tawelwch, plis. Dwi'n gwybod eich bod wedi cynhyrfu," meddai o.

Mae popeth sy'n cael ei WERTHU ar fyrddau yng nghefn y dosbarth. Gan gynnwys ein POPCORN. Dwi'n cadw troi rownd i wneud yn siŵr ei fod o'n OCÊ. . . .

Meddai Carwyn, "Ble mae eich CACENNAU 'ta?"

"Wnaethon ni wneud POPCORN yn eu lle."

Mae Carwyn yn tynnu stumiau.

"Pam bod o'n **LAS**?"

"Pam ddim? Mae o'n dal yn iymi."

"Mae o'n edrych yn IYCH ac OD."

"Wel does dim rhaid i ti ei fwyta."

Dwi'n ei anwybyddu wrth iddo dynnu mwy o stumiau.

(189)

O'R DIWEDD ... mae Mr Ffowc yn dweud,

"OCÊ, Dosbarth 5C,

ydych chi'n barod i fynd
yr EILIAD HON?"

Yna mae o'n galw ... **"DIM RHEDEG!"**

wrth i ni i gyd ddechrau rhedeg drwy'r drws.

Mae Jenni ac Indrani yn ôl yn yr

ysgol a ddim yn sâl bellach. (Er bod Jenni yn dal i

sniffian. DIPYN.) *sniff sniff* Maen nhw wedi helpu

drwy wneud POSTERI i'w gosod fyny.

"Jyst rhowch GROES trwy CACENNAU a sgwennu

POPCORN," awgrymaf pan dwi'n gweld y posteri.

Cacennau
popcorn £1

Dydi hi ddim yn cymryd llawer

i osod popeth yn ei le.

Twm Marc
Norman

Jenni Indrani

Mae'n henwau ar ein bwrdd ni. (Sy'n helpu.)

Dwi'n gweld bod yr holl stondinau bwyd wedi cael eu

rhoi efo'i gilydd. 'Dan ni drws nesa i'r

KEBABS FFRWYTHAU. Sy'n newyddion

ARDDERCHOG ac yn fawr o gystadleuaeth i ni.

(190)

Daw Mrs Mwmbwl heibio gan roi mymryn o NEWID i ni mewn bocs. Fflôt

"FFLÔT ydi'r enw arno a dydych chi ddim i fod i'w WARIO! Bydd gennych newid i'w roi i bobl rŵan."

"Dychmygwch faint o wafferi caramel allen ni ei brynu efo hwnna," meddai Norman.

"IYM!" (Dwi'n dychmygu LLWYTHI.)

"Dydym ni ddim i fod i'w wario," meddai Jenni – fel basan ni'n styried y ffasiwn beth ...

(Er, mae o'n biti.)

WAFFER
WAFFER
WAFFER
WAFFER
WAFFER
WAFFER

Mae gen i ddwy bunt i'w gwario ar rywbeth. Dwi heb benderfynu ar BETH (eto). 'Dan ni'n barod i fynd pan mae'r GLOCH yn canu ac mae plant yn dechrau llifo allan o'u dosbarthiadau.

Hyd yma, mae pethau'n mynd yn DDA. Mae ein popcorn glas yn ymddangos yn boblogaidd.

CACENNAU POPCORN YMA! CACENNAU POPCORN YMA!

Yna mae Carwyn yn ymddangos yn gwisgo ei wisg

ac yn cario arwydd. Mae o'n sefyll reit

o flaen ein popcorn, felly dwi'n dweud,

"Hei, Carwyn, ydi hynna'n

gweithio 'ta?" ac mae o'n dweud,

"Wrth gwrs – mae PAWB yn edrych arna i."

(Fel petai hyn i fod i wneud argraff arna i.)

"Dy arwydd dwi'n feddwl, dim dy wisg," meddaf fi.

"Wel, 'dan ni wedi gwerthu LLWYTH o ffolders

comics ac mae fy arwydd yn eu pwyntio i'r cyfeiriad

iawn. Mae gennych chi dipyn o bopcorn GLAS ar ôl.

Sy'n ddim syndod," meddai o'n smyg.

Ond CYN i mi fedru ateb, mae criw o blant yn gofyn

iddo, "Ti'n gwerthu popcorn?"

"Nadw," meddai o'n biwis.

Felly maen nhw'n $\rightleftharpoons$ RHUTHRO

heibio iddo i'n bwrdd NI.

"Sori, Carwyn. Alla i ddim siarad rŵan,

dwi'n rhy brysur." (Sy'n wir.)

Iym

Sbia, mae llwyth o blant yn ei brynu.

Cyn hir dim ond **DAU BACED** SY'N WEDDILL.

"Be am eu RHANNU?" awgryma Norman, sy'n syniad ARDDERCHOG. Felly dyna 'dan ni'n ei wneud.

(Dim ond gwneud yn siŵr eu bod nhw'n blasu'n

IAWN ydym ni ...

a maen nhw.)

WEDI GWERTHU

Mae Mrs Mwmbwl yn gweld ein bod ni wedi gorffen ac mae hi'n dod draw i gasglu ein harian. Mae hi'n falch ein bod wedi gwerthu popeth. Da iawn chi!
Mae gennym amser i fynd am sgowt ein hunain rŵan.
Felly dwi'n *rhuthro* draw i weld Derec achos dwi eisiau tro ar yr Helfa Drysor. Mae hi'n cymryd AMSER HIR i mi benderfynu BLE i roi'r DDWY FANER ar yr ynys a dydi Derec yn fawr o help.

Ial   Na.
     Ella ...

Brysia, Twm!
Rho nhw'n rhywle!

Gobeithio
gwna i ennill!

Mae gen i BUNT ar ôl i'w gwario a dwi WIR eisiau PRYNU trît. ☺ Rhywbeth blasus. (Dim kebab ffrwythau chwaith. Dwi'n HOFFI ffrwythau – ond dwi eisiau rhywbeth sy'n fwy o DRÎT.)

Mae yna gacennau sy'n fy nhemptio ond yna dwi'n GWELD y bariau crispi crenshlyd blasus yr olwg yma.

Mae llwyth o blant yn eu bwyta felly mae'n rhaid eu bod nhw'n NEIS.

Ond tra dwi'n meddwl am beth dylwn i ei brynu (cacen? Bar crenshlyd? Cacen?) mae Mrs Mwmbwl yn CHWYTHU chwiban ac yn dweud

PUM MUNUD ARALL, BAWB, YNA 'NÔL I'R DOSBARTH! PUM MUNUD!

Sy'n gwenud i mi BANICIO gan 'mod i heb benderfynu ETO. Yna mae llwyth o blant yn rhuthro am y CACENNAU fel FULTURIAID a chyn i mi allu DEWIS mae'r cwbl wedi MYND!

(Platiau gwag)

O, na! gwaeddaf, ond mae hi'n rhy hwyr. Felly dwi'n troi rownd ac yn anelu am y bariau crispi crenshlyd OLAF fel gafr ar daranau.

Gallaf WELD mai dim ond TRI SYDD AR ÔL.

Rŵan dim ond DAU sydd ar ôl ...

BRYSIA ... BRYSIA ... UN SYDD AR ÔL.

Dwi'n gweiddi ar y plentyn sydd agosa at y bwrdd, "GYMRA I HWNNA, FI PIA FO!"

Diolch byth, mae Bryn Siencyn yn fy nghlywed ac yn dweud, "Hei, Twm, ti'n LWCUS, hwn ydi'r un olaf."

Yna mae o'n ei roi mewn bag i mi. Sy'n RYDDHAD MAWR. Dwi ar gymaint o frys i roi fy mhunt iddo fel ei bod yn NEIDIO allan o fy llaw...

... ac wrth i Bryn geisio ei dal mae o'n gollwng y bag ...

... sy'n disgyn i'r llawr fel carreg. OND mae'r bar crispi crenshlyd yn iawn ac yn saff yn y bag (sy'n lwcus!).

Yna mae rhywun yn SEFYLL arno ar ddamwain – a dydi o ddim yn iawn rhagor.

"Sori, Twm. Hoffet ti brynu rhywbeth arall? Mae yna amser o hyd," awgryma Bryn gan ddychwelyd fy mhunt.

"Ella ..." ochneidiaf, gan edrych ar y briwsion crispi crenshlyd.

Bar wedi sgwasho

Wps!

Yn ôl yn y dosbarth mae Carwyn yn gofyn,

"BE YDI HWNNA?"

"Kebab ffrwythau. Dwi'n hoffi kebabs ffrwythau."

(Mae o'n well na dim.)

"Dyna'r CWBL brynaist ti?" ychwanega.

"Na, wnes i roi cynnig ar yr Helfa Drysor hefyd."

"A finna," meddai Carwyn, cyn iddo ddechrau mynd

'MLAEN am pa mor wych oedd ei grŵp O

gan eu bod wedi gwerthu eu HOLL ffolders comics

ANHYGOEL.

(Ochenaid...)

Mae Mr Ffowc yn llongyfarch PAWB am

weithio mor galed ar y DIWRNOD Busnes.

**"Gwnaiff Mr Preis gyhoeddi enillydd
yr Helfa Drysor ar ddiwedd y dydd."**

"Dwi'n methu aros," sibrydaf.

"Twm, brysia a STOPIA fwyta," meddai o wrthaf fi. **"A Carwyn, tynna'r clogyn a'r masg."**

Gan 'mod i wedi bwyta'r darn olaf o ffrwyth, dwi'n gwrthsefyll y demtasiwn i ffidlan efo'r ffon bren gan fod Mr Ffowc yn dal i fy ngwylio.

Pan mae Carwyn yn tynnu ei fasg, dwi'n esgus **DYCHRYN** o weld ei wyneb GO IAWN.

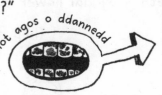

"Ha ha – doniol iawn, Twm," meddai o.

(Mae o'n eitha doniol.) Dyna pryd dwi'n sylwi ar rywbeth arall doniol amdano.

"Wnest ti fwyta unrhyw bopcorn, Carwyn?"

"Na, fel dywedais i, oedd o'n edrych yn iych. Pwy sy eisiau popcorn glas?"

Dwi ddim yn meddwl ei fod o'n dweud y gwir.

(Popcorn glas + Carwyn = dannedd glas.)

Cyn diwedd y dydd, mae Mr Preis yn cyhoeddi ENILLYDD yr Helfa Drysor.

A'r NEWYDDION DRWG ydi

nad y fi ydi o. (Awwww.)

Dydi hi ddim yn anodd GWELD pwy sydd wedi ennill.

IEI!

Caled ydi o, sy'n neidio i fyny ac yn RHEDEG o gwmpas y stafell GYFAN gan WEIDDI.

Y NEWYDDION DA ydi bod Caled yn dweud ei fod am rannu rhai o'i DRÎTS trysor efo'i ffrindiau. Sy'n HYNOD hyfryd ohono a ddim yn rhywbeth y byddai llawer o blant yn ei wneud

(heb enwi neb).- - - - - - -

Pan mae'r gloch yn CANU ar ddiwedd y dydd, all

Caled ddim AROS i fynd i gasglu ei

DRÎTS * TRYSOR. * Beiros Ceiniogau siocled Iei!

Dwi ar fin ei ddilyn pa mae eFA yn gofyn,

"Wyt ti'n dod i'r parc

ar ôl yr ysgol, Twm?

Mae criw ohonon ni'n mynd a rhai rhieni hefyd.

Mae Caled yn dod."

Caled + Trysor + Parc = Trîts siocled.

-GWYCH.-

"Ddo' i," meddaf. "Gallaf ffonio Dad a deud

wrtho ble rydan ni'n mynd."

Mae hwn yn troi allan i fod yn

DDIWRNOD LLAWN sBORT.

Mae eFA yn dweud wrtha i am eu cyfarfod

wrth giât yr ysgol.

Ond pan dwi'n mynd allan ...

MAE'R

FFOSILIAID

YN AROS AMDANA I.

(Sy'n syrpréis.)

Yna dwi'n cofio 'mod i FOD i

fynd i'w gweld ar ôl yr ysgol.

(O leia dydi Taid ddim yn cario ei

ddannedd yn ei LAW.)

Dwi'n rhedeg draw i'w gweld ac meddai Nain,

"Sut werthodd y popcorn?"

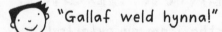 " FFANTASTIG. Werthon ni'r CWBL!"

meddaf fi.

"Da iawn, Twm. Ro'n ni'n meddwl basan ni'n

arbed dy draed a dod i dy gyfarfod di."

"Gallaf weld hynna!"

"Rŵan ffwrdd â ni achos mae gennym

ni SYRPRÉIS i ti," meddai Taid.

Sy'n swnio'n ddifyr.

Mae Caled yn cerdded heibio efo'i WOBR.

"Wela i di'n y PARC, Twm!" meddai, gan edrych

yn hapus. Yna meddai Carwyn (sydd wrth ei gwt),

"Bydd mwy o drîts i ni os nag wyt ti'n dod –

jyst deud." (Diolch am hynna, Carwyn.)

"Gallwn ddod efo ti i'r parc os wyt ti eisiau,

Twm, a gadael y syrpréis tan ddiwrnod ARALL?"

"Ond ELLA fydd o ddim yna fory," meddai Taid.

(Wn i ddim beth i'w wneud rŵan.)

Mae hi mor ANODD gwneud penderfyniad weithiau ...

FEL RŴAN.

PARC? ⇨ IA!

ANGHOFIO'R syrpréis? ⇨ NA.

Gofyn i Caled gadw trît i mi? ⇨ (Ella...)

(Mae'r FFOSILIAID yn dal i aros.)

Felly dwi'n dweud, "Gall y parc aros, Nain a Taid."

"Lyfli! Ffwrdd â ni i ..." meddai Nain cyn ychwanegu,

... SIOPA!

(NID beth ro'n i'n ddisgwyl ei wneud.)

"O ... Siopa. Grêt, methu aros," meddaf fi.

Dwi eisoes yn difaru fy mhenderfyniad i BEIDIO mynd i'r parc efo fy ffrindiau i fwyta trîts. (Sblych.)

Mae'r **FFOSILIAID** yn CADW oedi i EDRYCH Ò Ó ar stwff y baswn i BYTH yn EDRYCH Ò Ó arnyn nhw fel arfer.

Canhwyllau

clustogau

slipars fflwfflyd

Dwi'n CEISIO peidio diflasu a chadw'n brysur drwy EDRYCH AM blant sy efo DANNEDD **gLas** ar ôl bwyta ein popcorn. Mae yna nifer yn cerdded adre. Mae Taid yn dweud pe bai ei ddannedd O yn troi'n LAS, byddai'n eu tynnu allan ...

Hei, Twm

Dyma un →

"A rhoi sgrwbiad **DA** iddyn nhw," chwardda.
Dwi'n meddwl ella bod fy nannedd i'n dal i fod fymryn
yn las, ond alla i ddim gweld.

"Dan ni BRON yna, Twm," meddai Nain, sy'n
beth da, achos mae gan Taid ei ffon ac mae'n
cerdded yn araf. 'Dan ni'n troi'r gornel ac yn
STOPIO tu allan i'r SIOP ELUSEN yr
aethon ni â'r FÂS a'r MYGIAU iddi – A fy **NGHIT
DRWM BACH**. (Grêt. Dwi wedi colli allan ar gael
hwyl yn y parc, er mwyn dod i'r SIOP ELUSEN – ETO.)
"Awn ni i mewn, ia?" gofynna Taid.
Dwi'n gwneud y GORAU o bethau ac yn ceisio
dod o hyd i'r adran blant. Mae ganddyn nhw lyfrau
a ffilmiau allai fod yn ddifyr. Yna mae Taid yn
PWYNTIO a dweud,

"Ydi hwnna'n da i rywbeth i ti, Twm?"
Dwi'n troi a gweld ...

... RHYWBETH SY'N EDRYCH fel SGWTYR BACH NEWYDD SBON!

"Ro'n i wirioneddol eisiau un o RHEINA!"

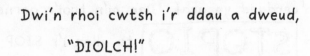

"Gawn ni o i ti," meddai Nain wrtha i.

Dwi'n rhoi cwtsh i'r ddau a dweud,

"DIOLCH!"

(Ro'n i'n GWYBOD 'mod i wedi gwneud

y peth iawn yn mynd hefo'r !)

Dwi'n cydio yn y sgwtyr a mynd â fo at y til, lle mae'r ddynes yn edrych ar y label ac yn dweud, "DEG PUNT, plis. Mae o'n NEWYDD SBON."

Yna mae rhywbeth yn mynd PING yn fy mhen.

Dwi'n siŵr 'mod i wedi clywed ei llais o'r blaen.

Dwi'n edrych i fyny ac alla i ddim credu pwy sydd yna ...

YR HEN DDYNES brynodd froetsh

Mam yn y SÊL CIST CAR (heb ei sgarff).

Mae'n rhaid i mi ofyn iddi amdani, ond mae hi'n dweud,

"Mae'r sgwtyr yn DDEG PUNT," unwaith eto, achos dwi jyst yn RHYTHU arni. Yna fel mae Taid ar fin

talu, dwi'n edrych i lawr a DYNA LLE MAE

BROETSH CATH MAM

yn y cwpwrdd gwydr.

Dwi wedi cynhyrfu gymaint, dwi eisiau gweiddi,

IEI! Dwi wedi DOD O HYD iddi!

Dwi'n edrych ar y label pris ac mae o'n dweud

DEG punt. BETH? Does gen i ddim digon o arian

(neu UNRHYW arian). Meddaf fi wrth Taid yn gyflym,

"ARHOSWCH! Ga i rywbeth ARALL hefyd?"

Sy'n swnio ychydig BACH YN HUNANOL. Felly dwi'n ceisio egluro.

"Dim i FI. ANRHEG ar gyfer pen-blwydd Mam ydi o." Byddai hi'n CARU'R froetsh yna!

Mae Nain a Taid yn edrych fymryn yn SYN.

"Wyt ti'n SIWR? Mae o'n eitha DIPYN o arian am froetsh CATH od yr olwg."

"Mae Mam yn eu casglu – dwi'n GWBOD y byddai hi MOR HAPUS 😊 i gael hon. Baswn i ddim yn gofyn, ond dyma fyddai'r anrheg gorau ERIOED!"

Mae yna arwydd mawr sy'n dweud ARIAN PAROD YN UNIG.

Mae Taid yn edrych yn ei waled. "Does gen i ddim digon – bydd yn rhaid i mi fynd i'r peiriant arian."

Meddaf fi, "Byddai'n well gen i gael y FROETSH na'r sgwtyr." (Jyst trio bod o help.)

Mae Taid yn dweud, "OCÊ – gawn ni'r ddau beth."

"Rhaid dy fod ti WIR eisiau'r froetsh yna, Twm," meddai Nain.

(YDW. Does ganddyn nhw DDIM syniad!)

Mae Taid yn cerdded (yn araf IAWN) i nôl mwy o arian – sydd ddim yn bell.

Dwi'n cadw llygad ar y froetsh CATH er mwyn gwneud yn siŵr bod neb arall yn ei BACHU, pan mae'r hen ddynes yn dweud, *"Wnes i mo dy weld di yn ... ble hefyd? Y sêl cist car, siŵr iawn!"*

Dwi ddim eisiau i Nain wybod ein bod ni wedi GWERTHU broetsh Mam am bunt ac yn ei phrynu yn ÔL, felly dwi'n dweud yn dawel, "Na, dim fi oedd o ... yn bendant."

"Ti'n siŵr? Wnes i brynu rhywbeth gen ti.

Be oedd o hefyd? Wna i gofio cyn bo hir."

(O na) Dwi'n esgus 'mod i'n methu clywed beth mae hi'n ei ddweud ac yn mynd i edrych ☉☉ ar HEN records. Croesi bysedd na wnaiff hi ddim cofio. Dwi'n EDRYCH drwy'r records ac mae yna lwythi o fandiau dwi'n eu hadnabod o gasgliad Mr Pringl. Yna dwi'n dod ar draws rhywbeth ... NID UN, ond DAU albym **CWPAN BLASTIG.**
WE-HEI!

Mae hi'n EDRYCH fel bod HEDDIW'n mynd i fod yn DDIWRNOD LWCUS IAWN!

(DWI'N CARU SIOPAU ELUSEN ... RŴAN.)

Dywedodd Derec wrtha i fod albyms **CWPAN BLASTIG** werth LLWYTH o arian. Dylwn i'n BENDANT brynu'r DDAU – ond gan nad oes gen i unrhyw arian bydd yn rhaid i mi ofyn i'r **FFOSILIAD** unwaith eto.

Mae Taid yn dychwelyd i'r siop (yn araf) yn cario papur deg punt arall. "Dyma ni, Twm. Gad i ni brynu'r sgwtyr A'R froetsh od yr olwg yna i dy fam."

"Alla i gael rhein hefyd?" gofynnaf, gan ddal y recordiau.

Mae'r **FFOSILIAD** yn rhoi EDRYCHIAD i mi ac yn OCHNEIDIO yn UCHEL iawn. Dydyn nhw ddim yn dweud "NA," ond dwi'n deall yr AWGRYM.

 (Ga i nhw eto.)

Tra mae'r hen ddynes yn lapio'r froetsh (dydi hi DAL ddim yn cofio ei phrynu yn y SÊL), dwi'n cadw i edrych ar y llawr efo fy nwylo yn fy mhocedi, yn ceisio peidio â DAL EI LLYGAD. Dwi'n gallu teimlo rhywbeth tebyg i bapur wedi'i sgwasho ar waelod fy mhoced.

Dwi'n ei dynnu allan a SYNNU gweld ⟨PAPUR DEG PUNT⟩ SGWISHLYD. Yr un roddodd Dad i mi yn y sêl cist car! (Anghofiais i bopeth amdano!) GWYCH!

"HEI, Sßïwch ⊙⊙ BE DWI WEDI'I FFEINDIO!" gwaeddaf, a dwi'n chwifio'r papur deg punt budur yn yr awyr. Dwi MOR HAPUS achos gallaf gael y sgwtyr bach rŵan, broetsh Mam a dau albym CWPAN BLASTIG (wnaiff ond gostio punt yr un). Dwi'n rhoi PUM punt yn ôl i'r FFOSILIAD i dalu am (ran o'r) FROETSH a chadw TAIR i brynu WAFFERI CARAMEL ar y ffordd adre. (CANLYNIAD.)

Dwi ddim yn trafferthu mynd yn ôl i'r parc rŵan achos dwi'n YSU i fynd adre i ddweud wrth Dad beth sydd wedi digwydd. Iei! (A Derec hefyd.)

Mae Nain a Taid yn cerdded yn ôl efo mi (Y N A R A F).

Ond mae Nain yn dweud,

"Wnawn ni ddim dod i mewn. Dwi'n COGINIO swper i hen ffrindiau heno."

"Paid â phoeni – mae fy waffer

ARGYFWNG gen i, jyst rhag ofn."

Sy'n gwneud i mi chwerthin. Ha! Ha!

"Mae croeso mawr i ti goginio," meddai Nain wrtho.

"Well i ni fynd, Twm, neu byddaf mewn trwbwl," sibryda Taid.

Dwi'n rhoi CWTSH i'r DDAU, cymryd fy sgwtyr, albyms a'r froetsh, a mynd i chwilio am Dad.

Mae o'n ei sied yn gweithio. Iym...

GALLWN ddweud wrtho'n syth. Neu gallaf gael

☆ HWYL ☆ . ☺

(Beth ddylwn i wneud?) ?

oetsh ôl i mi.

"Dyfala be gafodd Nain a Taid i mi yn SIOP ELUSEN?"

dwi'n gofyn i Dad gynta.

"S'mai, Twm – sgwtyr bach, ella?"

"IA! SUT OEDDET TI'N GWBOD?"

"Jyst rhyw deimlad."

"OCÊ, be arall ges i 'ta?"

"Gest ti fwy? Hen fâs ella?"

"NA – tria eto."

"GITÂR arall?"

"Na, yn anffodus. Dyfala eto."

"Hm ... llong ofod?"

"Ti'n bod yn wirion rŵan – ti am i mi ddweud?"

Mae Dad yn nodio – felly dwi'n DANGOS

y froetsh iddo.

"IA, TWM!"

Mae o'n curo'i ddwylo ac yn fy NHROELLI i o gwmpas.
Sydd ddim yn hawdd i'w wneud mewn sied fach.

"Ti ydi'r hogyn CLYFRA yn y BYD i GYD YN GRWN!"

DWI'N CYTUNO. (Diolch, diolch.)

Caiff Dad sbec ar y froetsh, sy'n ymddangos yn tsiampion (er bod y llygaid dal yn groes).

Rydan ni mor BRYSUR yn dathlu fel bod yr un ohonon ni'n gweld MAM yn sefyll wrth y drws yn EDRYCH arnom ni.

"Rydych chi'ch dau yn hapus. Be ydi'r NEWYDDION DA?"

"DIM BYD!"

meddai'r ddau ohonom.

Mae Dad yn cuddio'r froetsh yn ei law. "Ddylai pobl sy'n cael eu pen-blwydd yn fuan ddim gofyn cwestiynau," meddai Dad wrthi.

"YN UNION," meddaf fi. (Da rŵan, Dad.)

"OCÊ, OCÊ ..." meddai Mam a dychwelyd i'r tŷ. Ro'n i wedi anghofio bod angen i mi gael fy anrheg fy **HUN** i Mam. Gallwn roi fy nghloc cwcw iddi?

Dwi ddim yn siŵr.

Ella gwna i ... ella ddim.

(Dwi heb benderfynu eto.)

Unwaith mae Mam yn ôl yn DDIOGEL yn y tŷ, mae Dad yn edrych ar y froetsh. "Wna i gael y LLYGAID wedi'u trwsio a'i rhoi mewn bocs ffansi ar gyfer ei phen-blwydd," meddai o. Mae o'n gynllun da. "Dwi **mor** falch ein bod ni wedi'i chael hi 'nôl," meddai Dad.

A fi! (FFIW!)

215

Mae hi'n teimlo fel yr amser IAWN i nôl fy LLYFR BRASLUNIO. Mae o wedi LLENWI gryn dipyn achos dros y dyddiau dwytha mae yna LAWER wedi digwydd.

Dwi wedi tynnu llun cymaint o bethau ag y galla i GOFIO ac wedi sgwennu ychydig NODIADAU i egluro beth sy'n digwydd yn y lluniau, rhag ofn i Mr Ffowc ddrysu pan mae o'n eu gweld.

(Mae hynny'n digwydd.)

Mr Ffowc wedi drysu

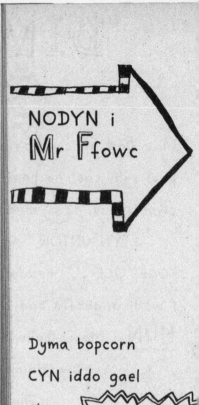

NODYN i Mr Ffowc

Dyma bopcorn CYN iddo gael ei

BOPIO

a WEDYN.

POP !!

(Pwy fasa'n meddwl? Dim fi.)

Does gen i ddim beiro **LAS**, felly bydd rhaid i chi DDYCHMYGU bod HWN 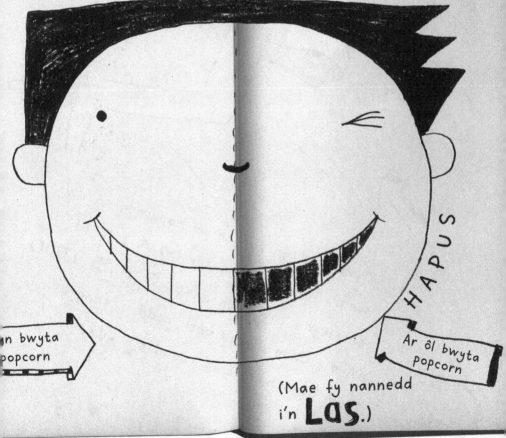 yn LAS.

(Dydi fy ngwallt ddim yn las, cofiwch.)

Dyma FI yn bod yn HYNOD O **HAPUS** achos bod y popcorn wnaethon ni ar gyfer y **DIWRNOD Busnes** wedi gwerthu'n DDA OFNADWY.

yn bwyta popcorn

Ar ôl bwyta popcorn

HAPUS

(Mae fy nannedd i'n **LAS**.)

Fel hyn y byddai Carwyn yn edrych petai o'n troi'n ellyll yn araf bach.

Mae'r uchod yn dangos AMRYWIAETH o ystumiau mynegiant (rhag ofn eich bod chi'n ystyried PAM 'mod i'n darlunio hyn).

SBLYCH

LLUN AGOS o wallt a phen ELLYLL

(Wna i fwy nes 'mlaen.)

Y diwrnod wedyn

Diddorol

Dwi'n meindio fy musnes pan dwi'n **S**ylwi bod Delia wedi gadael ei GORIAD yn y drws ar ddamwain. Alla i ddim ei chlywed, felly dwi'n penderfynu trio gweld BETH mae hi wedi bod yn ei wneud. Dwi ar fin cymryd SBEC pan mae Mam yn dweud,

"Pam wyt ti'n mynd i mewn i stafell Delia, Twm?"

 E?

Meddaf fi, "Mae Delia wedi gadael ei GORIAD yn y drws. YLI!" Sy'n hoelio sylw Mam.

"**P**aid â'i gyffwrdd. Wna i nôl dy dad. Gaiff o fynd i weld be sy'n mynd 'mlaen. Jyst rhag ofn."

Paid â dod i me

Tra bod Mam yn nôl Dad, dwi'n ceisio edrych drwy dwll y clo. Ond alla i ddim gweld rhyw lawer – mae hi fel BOL BUWCH.

"Paid â busnesu, Twm," meddai Mam wrtha i wrth iddi fy nal eto. "Dos yn ôl i dy lofft. A phaid ti â deud wrth dy chwaer ein bod ni wedi dod o hyd i'w goriad. Wnawn ni hynny os bydd angen. OCÊ?"

Dwi'n dweud, "OCÊ". (Gallai hyn fod yn wybodaeth dda i'w defnyddio efo Delia rhywbryd eto.)

Dwi yn fy llofft, ond dwi'n dal i SBECIAN heibio'r drws.

Alla i ddim gweld llawer achos maen nhw'n SEFYLL YN Y FFORDD.

Ymddengys nad fi ydi'r UNIG UN yn y teulu hwn sy'n HOFFI tynnu lluniau a dŵdlo (o ryw fath). Gallaf glywed Mam a Dad yn dweud,

WYNEBAU SYN

Mae Delia wedi bod yn PEINTIO?

"Nefi, doeddwn i ddim yn disgwyl darganfod yr holl luniau MAWR yma yn fan hyn," meddai Mam wrth Dad. (Lluniau?)

"Sgwn i pam na ddywedodd hi wrthon ni?" meddai Dad.

"Ga i WELD?" dwi'n gweiddi o fy llofft. Mae Mam a Dad yn parhau efo'u sgwrs.

"Ella ei bod hi'n bwriadu dangos nhw i ni nes 'mlaen."

Cyn i **mi** allu *SLEIFIO* i mewn y tu ôl iddyn nhw i edrych ar "LUNIAU" Delia, mae Mam a Dad eisoes wedi CLOI'R drws.

"Ooo, dwi eisiau GWELD lluniau **wîyrd**," meddaf fi, gan geisio eu perswadio.

"Ti ddim angen gweld na DEUD dim am ei lluniau. A dydyn nhw ddim yn **wîyrd**."

"Maen nhw fymryn yn ... WALLGO," meddai Dad.

"Dim ond ceisio mynegi ei hun mae hi," eglura Mam.

"Am ei bod hi'n **wîyrd**," ychwanegaf. Mae Mam a Dad yn gwgu ☉☉ arna i. Cyn iddyn nhw holi a oes gen i unrhyw WAITH CARTREF i'w wneud – sy'n digwydd pan dwi mewn trwbwl gan amlaf – dwi'n mynd yn ôl i fy llofft.

Ella fod gen i a Delia dipyn yn gyffredin wedi'r cwbl. Mae'r DDAU OHONOM YN CARU'R **3 DIWD** ☑ ac arlunio ☑ a pheintio ☑, er nad ydw i wedi gweld ei lluniau eto. A sôn am hynny ...

Dyma DDŴDL wnes i drwy dynnu llinell o gwmpas fy llaw a hanner bisged. Cymrodd beth amser i mi ei wneud – ond wnaeth y fisged fy nghadw i fynd.

Roedd cadw fy ADDEWID i Mam a Dad na faswn i'n dweud wrth Delia eu bod wedi sleifio i'w stafell a gweld ei lluniau **wîyrd** yn DIPYN anoddach nag oeddwn i wedi'i feddwl.

Yn ENWEDIG ar ôl i mi ddarganfod beth oedd hi wedi'i <u>wneud</u> i FY nghloc cwcw. Wnes i glywed SYNAU OD IAWN yn dod o fy llofft a wnes i ffeindio HWN YN Y BIN!

WWC WWWW
WWC WWWWWWW
WC WWWWW

Roedd Delia wedi rhoi tâp dros ddrws y cloc fel bod y gwcw yn cadw i guro'i phen yn ei erbyn ...

MAE'R cloc cwcw WEDI bod yn canu ar adegau OD.
Ond dwi'n HOFFI ei sŵn.

CWCW

Es i fel *MELLTEN* i lofft

Delia a sefyll y tu allan yn GWEIDDI,

"PAID MYND I FY LLOFFT I A PHAID Â

CHYFFWRDD fy nghloc CWCW eto neu FYDD 'NA LE!"

(Ro'n i eisiau dweud, "Neu fydd 'na le pan wna i

roi TÂP dros dy LUNIAU wîyrd!" Ond wnes i ddim ...)

Ro'n i'n gwybod bod Delia yno achos gallwn

OGLEUO'r paent. Ond wnaeth hi gadw'n dawel.

Rŵan 'mod i'n gwybod bod fy nghloc yn ei

gyrru hi'n WIRION, dwi'n mynd i'w GADW a

gwneud iddo ganu mor aml â phosibl. Ha!

Does gen i ddim anrheg ar gyfer pen-blwydd

Mam rŵan, ond mae OES PYS tan hynny.

Pryd mae o eto? O, dwi'n cofio rŵan ...

FORY.

Dim problem. Wna i ffolder **GOMICS** iddi.

Bydd rhaid iddi fod yn fach, gan fod Mam wedi cael GWARED ar y rhan fwya o fy nghomics. (Wna i ei hatgoffa o hyn.) Dwi'n mynd 'nôl i fy llofft a nôl yr ychydig gomics sydd gen i ar ôl. Dwi'n barod i wneud anrheg Mam. Yn syth ar ôl i mi ddarllen y comics eto ...

CWCW
CWCW
CWCW

Syrpréis pen-blwydd Mam

Aeth y syrpréis o roi brecwast yn y gwely i Mam DDIM YN WYCH. (Sut ro'n i fod i wybod bod PRY COP yn y BLODAU ro'n i wedi'u casglu o'r ardd?)

Gwnaeth y pry cop i Mam neidio allan o'r gwely.

Wnaeth y TOST oroesi ond gwnaeth y sudd oren a'r grawnfwyd sbydu i BOB CYFEIRIAD.

Wedi i Mam ddod dros y **SIOC** (ac wedi i mi glirio) dywedodd ei bod o'n syniad HYFRYD a 'mod i'n garedig $IAWN$. ☺

Hoff blentyn

(Wnaeth Mam ddim dweud hynna ond dwi'n siŵr mai fi ydi o.)

228

Wnaeth Mam ddweud ei bod hi'n mynd i siopa efo
rhai o'i ffrindiau heddiw. Gwnaeth Dad sioe dda o esgus
bod yn DRIST ☹ nad oedd o'n cael mynd efo hi.
"Am BITI fod yn rhaid i mi goginio a pharatoi
ar gyfer dy swper pen-blwydd sbesial di heno."
Mae Dad yn HAPuS ☺ 'mod i wedi dod o hyd
i'r froetsh cath. Mae o wedi llwyddo i gael y LLYGAID
wedi'u cywiro fel rhan o anrheg Mam. Alla i ddim
AROS i weld ei HWYNEB pan wnaiff hi agor y bocs!
Mae yna FWY o NEWYDDION DA, achos
mae Dad wedi gwahodd Derec a'i rieni i ddod draw.
Mae Mam wedi rhoi gwahoddiad i'r cefndryd,
Anti Alis ac Yncl Cefin hefyd.
Dywedodd, "Allwn i ddim PEIDIO
rhoi gwahoddiad iddyn nhw."
"Grêt – dwi wrth fy modd pan mae Yncl Cefin
yn gwneud sylwadau am fy mwyd," meddai Dad wrthi.
"Ella NA WNAIFF o," awgryma Mam.
(Mi WNAIFF o.)

Be ydi hwnna?

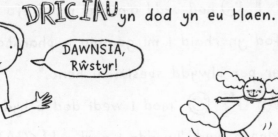

Mae Derec yn dod heibio'n GYNNAR ac yn dod â RŴSTYR, sy'n gyfle da i weld sut mae ei DRICIAU yn dod yn eu blaen.

DAWNSIA, Rŵstyr!

Dwi'n dweud wrth Derec fod Rŵstyr yn cael HWYL arni.

"Mae o wedi dysgu sut i BWYNTIO hefyd."

"Grêt!" Mae Rŵstyr yn gi clyfar. 'Dan ni'n treulio'r deng munud nesa'n gwneud i Rŵstyr bwyntio at bethau.

PWYNTIA, Rŵstyr!

Mae Nain a Taid yn cyrraedd efo CACEN Mam, sydd angen ei haddurno. "Ro'n i'n meddwl byddech chi'n hoffi fy helpu," meddai Nain wrtha i a Derec. "Dwi wedi prynu botymau siocled MAWR gwyn a botymau bach siocled ● i orchuddio'r gacen," eglura, sy'n rheswm da dros roi help llaw iddi.

Mmmmmmm

"GWNAWN ni helpu!" meddaf fi wrth Nain. (Llynedd, wnaeth Nain addurno'r gacen efo ffyn bara, felly mae botymau siocled yn gam ENFAWR ymlaen.)

Mae Nain yn dangos i ni beth i'w wneud. Rydan ni'n gorfod gosod y botwm siocled bach ar y botwm siocled gwyn efo blob o eisin.

"Peidiwch â'u bwyta!" meddai Nain.

(Rhy hwyr ...)

yr yn pwyntio

Ar ôl gorffen 'dan ni'n sylweddoli fod y gacen yn EDRYCH ⊙ ⊙ fel ei bod hi wedi'i gorchuddio â

LLYGAID. ⇥

Dwi'n mynd i gasglu fy anrheg a'i roi y drws nesa i'r GACEN LYGAID. Mae Delia yn ymddangos o'i stafell ac yn dweud, "Mae'r gacen yna'n edrych yn **CRÎPI**." Felly dwi'n dweud wrthi nad oes yn rhaid iddi ei BWYTA.

"Mwy i ni – a Mam." (Ei chacen hi ydi hi, wedi'r cyfan.) Yna dwi'n gofyn iddi BLE mae ei hanrheg <u>hi</u> i Mam. "Anghofiaist ti?" holaf.

"Ddo i â fo i lawr nes 'mlaen – a STOPIA roi'r CLOC **CWCW** DWL yna mor agos at fy WAL," meddai hi wrtha i'n ddig.

(Ha! Mae o'n gweithio felly!)

Dwi'n dweud wrth Derec am y DDAU albym CWPAN BLASTIG ges i, ac mae O'N meddwl bydd ei dad o eisiau prynu o leia UN gen i. Fyddai'n GRÊT achos wedyn gallwn brynu bob math o bethau gwych.

Meddai Derec, "Mae'r albym sy ganddo wedi'i grafu ychydig. Paid â phoeni, dydi o ddim yn gwbod mai ni wnaeth."   (FFIW!)

Dal hi

"Mae Dad yn meddwl bod Rŵstyr wedi neidio i fyny a gwneud i'r nodwydd grafu'r albym – wnes i ddim deud gair!"

CRAFU

"Am lwcus!" cytunaf.

Tra ein bod ni'n aros i Mam ddod adre ac i bawb arall gyrraedd, dwi'n dweud hanes y FROETSH CATH wrth Derec.

Fel hyn

– Waw

Yna 'dan ni'n ceisio cael sbec ar luniau Delia, ond mae hi wedi cloi'i drws.

"Gawn ni ras sboncwyr yn lle hynny!" awgrymaf.

Mae Derec yn cytuno ei fod yn syniad CAMPUS. Dwi'n GOBEITHIO bydd syrpréis Mam yn HWYL hefyd!

(WYDDOCH CHI BETH? Mi roedd ... O!)

Wnaeth Yncl Cefin ddim llwyddo i ddifetha pethau i Dad, ac fe wnaeth o ENNILL y ras sboncwyr, yn y diwedd. Dywedodd Mam fod y ffordd roedd Dad yn DYRNU'R awyr ac yn dweud "Ie! IE! IE!"

ychydig dros ben llestri.

Ro'n i'n meddwl ei fod yn DDONIOL. ☺

Wnes i a Derec dynnu hynny allem ni o lygaid siocled oddi ar y gacen.

Wnes i fwyta'r rhan fwya ohonyn nhw, cyn mynd i deimlo fymryn yn sâl. Felly CADWAIS i'r gweddill ar gyfer nes 'mlaen.

NES 'MLAEN = RŴAN.

(Wnes i'r dŵdls yma cyn i mi lenwi fy llyfr braslunio ... a bwyta'r botymau.)

IYM!

234

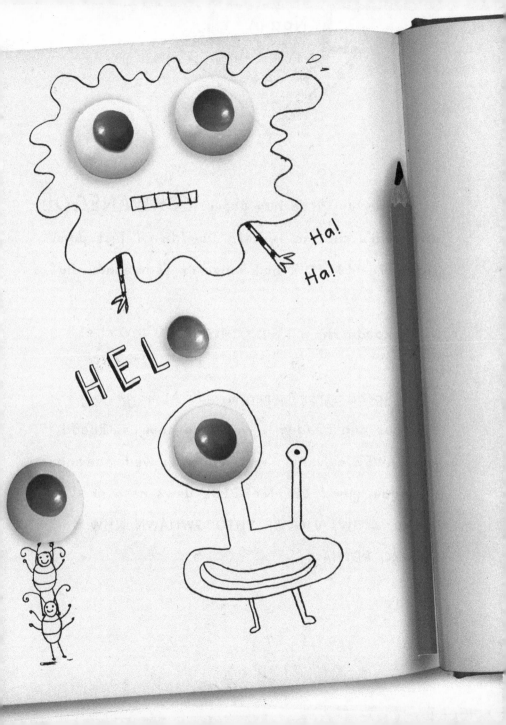

Nodyn i Mr Ffowc.

Plis darllenwch hwn.

Sori am y darnau papur YCHWANEGOL dwi wedi'u rhoi yn fy llyfr. Doeddwn i jyst ddim yn medru FFITIO'R holl luniau i'r tudalennau olaf.

Roedd rhaid i mi YCHWANEGU MWY!

Roedd syrpréis pen-blwydd Mam yn fwy cyffrous nag oeddwn i wedi'i ddychmygu. Roedd yna LAWER o luniau i'w tynnu. Dwi wedi sgwennu sylwadau hynod DDEFNYDDIOL drws nesa i'r lluniau, a DWI'N GOBEITHIO GWNAWN NHW EGLURO PETHAU.

A gan eich bod chi'n teimlo'n llawer gwell rŵan, dwi'n gobeithio ella y gwnewch chi ddweud,

WAW, mae Twm CLWYD wedi gwneud yn DDA IAWN. Dwi'n meddwl ei fod o'n haeddu mwy o sêr na NEB arall.

(Dim ond awgrym ...)

(Sdim rhaid, syr ...)

Roedd yna YSTUMIAU MYNEGIANT da iawn i dynnu lluniau ohonyn nhw yn ystod SYRPRÉIS PEN-BLWYDD Mam. DYMA YCHYDIG OHONYN NHW.

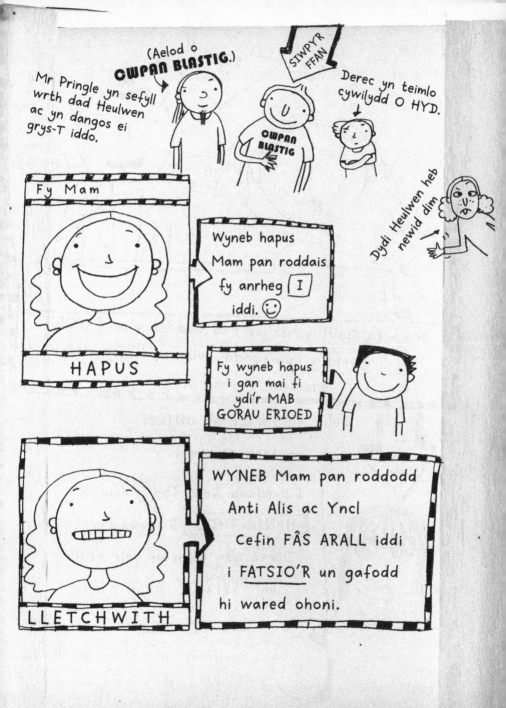

Syrpréis ffug

Hyfryd, Delia

Grêt!

Llun Delia

Mam (a Dad) yn esgus nad oedden nhw ERIOED wedi gweld y llun roedd Delia wedi'i beintio i Mam ar ei phen-blwydd.

Fy chwaer, Delia

Delia yn edrych yn UNION yr un fath ag arfer.

Dywedodd Delia fod y llun yn HANIAETHOL. Sibrydais wrth Derec gan ofyn ai gair arall am "WÎYRD" oedd hynny.

Doeddem ni ddim yn deall.

Fy nghefndryd ar ôl i mi ddweud wrthyn nhw eu bod newydd fwyta powlen o greision LLYSIAU.

'Dach chi'n bwyta pannas.

Fy nghefndryd – yn bwyta.

A dyma'r peth gorau. Wyneb **MAM** pan wnaeth Dad roi ei anrheg o iddi. (Y FROETSH CATH efo'r LLYGAID WEDI'U CYWIRO a thaleb am SGIDIAU NEWYDD.)

DIOLCH O GALON!

(Mam ddim yn esgus bod yn hapus ... ond yn hapus go iawn.)

Hen froetsh cath Mam.

Cyn ei thrwsio. | Wedi'i thrwsio.

Nodyn i Mr Ffowc → Roedd y froetsh yma yn perthyn i berson hen iawn o deulu fy mam (hen, hen nain.) Rhoddodd y froetsh i fy mam. Nid dyma fy syniad i o anrheg, ond wnaeth Dad gael y llygaid wedi'u trwsio fel eu bod ychydig yn LLAI croes ac mae Mam yn hapus. A Dad.

(Alla i ddim dweud PAM fod Dad mor hapus rhag ofn i Mam ddarllen hwn. Os ydi hi yn darllen hwn – doedd o'n ddim byd! Wir yr ...)

Derec yn gwneud pethau dwl efo LLYGAID botymau siocled.

(Wnes i dynnu rhai o'r gacen i'w bwyta yn nes ymlaen.)

Tad Derec pan dwi'n dangos un o'r albyms **CWPAN BLASTIG** sydd gen i iddo.

Mae o eisiau ei brynu.

Heulwen ddim yn chwerthin

Dim crafiadau

Rŵstyr yn neidio, pwyntio a dawnsio (yr un pryd).

Ro'n i'n meddwl mai Rŵstyr oedd y peth GORAU am ddathliad pen-blwydd Mam. NEs i ni nôl y. sboncwyr a chael RASYS.

Dad ac Yncl Cefin
yn rasio o gwmpas
yr ardd.

Dyma YSTUMIAU MYNEGIANT
pobl eraill wrth iddyn
nhw neidio ar
y sboncwyr.

Derec

Heulwen

cynffon
ceffyl

Tad Heulwen

Mam

Cafodd Delia dro HYD YN OED

(Fi wnaeth ychwanegu'r

PRYFED ... ha!)

Os ydych chi eisiau gwybod sut roedd llun Delia

YN EDRYCH, dwi wedi ceisio ei ail-greu

efo PAENT...

Llun Delia (gen I).

Aeth pethau braidd yn flêr.

Ond roedd o'n edrych fymryn fel yna).

Gobeithio eich bod yn hoffi fy llyfr braslunio.

Lle i
sêr

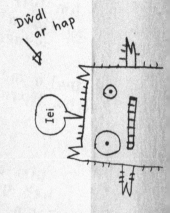

Dŵdl
ar hap

Iei

Twm

Diolch am ychwanegu mwy o bapur.

Am lyfr braslunio ardderchog
yn llawn o ystumiau mynegiant
wyneb hynod ddiddorol!

Dwi'n meddwl dy fod yn haeddu
eitha tipyn o sêr am dy holl waith.

Da iawn!

Dim ond un peth. Dwi'n dal
heb gael dy waith ysgrifennu
am y straeon tylwyth teg!

Gallet dderbyn hyd yn oed mwy o
sêr drwy gyflwyno hwnnw hefyd.

Mr Ffowc.

(Er gwybodaeth, dwi'n cofio
Cwpan Blastig. Band gwych.)

Mae Mr Ffowc yn dweud fy mod i'n mynd i gael LLWYTH O SÊR.

Dwi'n falch ofnadwy. ☺ A wnaeth o fy nghanmol o flaen y dosbarth CYFAN hefyd, 🙂 sy'n cau ceg Carwyn, sy'n CADW i fy atgoffa 'mod i wedi colli allan ar lawer o ☆HWYL☆ a THRÎTS drwy beidio mynd i'r parc. 😊 Yna mae EFA yn dweud, "Mae o'n GOR-DDWEUD. Wnaeth neb aros yn hir beth bynnag."

Felly dwi'n dweud wrthyn nhw am sut des i o hyd i froetsh Mam A'R DDAU albym CWPAN BLASTIG sy'n werth LLWYTH o arian. Mae EFA yn rhyfeddu. Waw! Mae Carwyn yn edrych yn ddig. A?

Yna mae o'n gofyn os caiff o SBEC yn fy LLYFR BRASLUNIO gan fy mod wedi'i adael ar y ddesg. Dwi'n gadael iddo. Mae o'n edrych drwyddo a dweud, "Dim yn ddrwg, Twm. Ond alli di BEIDIO tynnu llun ohona i fel ELLYLL – mae o'n mynd ar fy nerfau."

"IAWN, Carwyn," meddaf fi.

FY **STORI DYLWYTH TEG**

Yr Ellyll Bach Lletchwith

gan Twm Clwyd

Un tro, roedd yna ellyll bach  oedd yn meddwl ei fod o'n gwybod pob dim. Roedd yr ellyllon eraill wedi cael llond bol ar wrando arno'n BROLIO mai fo oedd yr ellyll clyfraf yn y byd i GYD.  Roedd o'n arfer BACHU syniadau'r ellyllon eraill ac esgus mai ei syniadau O oedden nhw.

> Fy syniad I ydi'r ffolder gomics.

Un diwrnod, penderfynodd yr ellyll bach lletchwith y byddai'n chwarae tric ar bawb. Felly GWAEDDODD,

> BRYSIWCH! BRYSIWCH!
> Mae yna fwystfil MAWR yn dod dros y bryn I FY MWYTA!
> ACHUBWCH FI! HELP!

Dyma'r holl ELLYLON yn *RHEDEG* i'w achub.

Ond pan welsant mai TRIC oedd o, doedden nhw ddim yn hapus.

Ha! Ha!  Ha! Ha!

"Dach chi MOR dwp – does yna ddim BWYSTFIL!" meddai wrthyn nhw.

Roedd yr ellyllod eraill i gyd yn meddwl ei fod o'n reit ddoniol. (JÔC.)

Yna un diwrnod, dyma FWYSTFIL MAWR LLWGLYD yn ymddangos go iawn. Gallai'r ellyllon ei weld o'n sleifio i fyny y tu ôl i'r ellyll bach lletchwith a cheision nhw ei rybuddio (gan eu bod nhw'n ellyllon neis).

RHED, RHED! Mae yna fwystfil MAWR y tu ôl i ti sy'n mynd i dy FWYTA! 'Dan ni'n gallu ei WELD! RHED!

Meddai'r ellyll bach (lletchwith)

"Fedrwch chi ddim fy nhwyllo i efo'r HEN dric yna.

Ydych chi'n meddwl 'mod i'n DWP?

Ella 'mod i'n fach – ond dwi'n HYNOD ..."

FLASUS!

meddai'r bwystfil
wrth iddo lyncu'r ellyll bach lletchwith.

Y DIWEDD

IA!
NA.
(Ella ...)

Dwi wedi gorffen fy ngwaith cartref a dwi'n fflicio trwy'r sianeli TELEDU (fel mae rhywun). Dwi'n ceisio penderfynu BETH i'w wylio, pan dwi'n dod ar draws un o hoff raglenni Mam.

(TRYSORAU'R TEULU ydi'r rhaglen.)

Dwi ar fin fflicio eto pan yn SYDYN, mae rhywbeth yn dal fy LLYGAID. Mae yna ddyn yn siarad am froetsh sy'n edrych ychydig fel broetsh CATH Mam.

Ydi hi?

Ella ... dwi'n cadw i wylio ac mae bendant yn edrych fel ei broetsh hi.

Mae'r ARBENIGWR yn ei dal yn ei law. Felly dwi'n GWRANDO arno'n astud.

Dyma enghraifft ANARFEROL
iawn o FROETSH CATH wnaethpwyd
gan y gemydd enwog
Froubergé.

Mae'n edrych fel bod llygaid y gath yn
groes, ond dyna'r ffordd y gwnaethpwyd
y froetsh. Mae'r froetsh wedi'i seilio ar gath
Froubergé **EI HUN**, oedd â llygaid croes.

Dwi'n **HYNOD FALCH** o weld bod LLYGAID
y gath HON yn dal i fod yn groes ac nad ydyn
nhw wedi cael eu "TRWSIO" na'u sythu mewn
camgymeriad. Bydd y froetsh yma o ddiddordeb
mawr i gasglwyr. Mae broetsh cath efo LLYGAID
wedi'u sythu yn LLAWER llai gwerthfawr.

Felly *llongyfarchiadau* i chi!

O na...

Pa mor anodd all hi fod i wneud

llygaid y gath yn groes eto?

Well i mi fynd i ddweud wrth Dad ...

Sut i Wneud Ffolder Gomics

TAIR tudalen o gomics i wneud ffolder fawr.

Digon o blastig cefn gludiog i orchuddio'r tair tudalen i gyd

Rhuban neu linyn

Siswrn

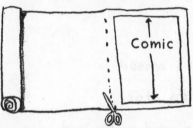

Tynnwch y papur oddi ar y P.C.G.

Gofynnwch am help oedolyn efo hyn; gall P.C.G. fod yn anodd! Gwnewch yn sicr fod y bwrdd yn lân hefyd. (Dim briwsion bisgedi arno!)

Torrwch CHWECH darn o blastig cefn gludiog - rhaid iddyn nhw fod damed yn fwy na thudalennau eich comic. (P.C.G. Plastig cefn gludiog)

Ochr ludiog i fyny

Gosodwch eich tudalennau comic ar ben y P.C.G. yn ofalus. Dechreuwch mewn un cornel ac yna rwbio'r comic yn DYNER wrth i chi fynd yn eich blaen.

Gwnewch yr un peth efo'r dair tudalen.

Trowch y comic drosodd a gludio'r ochrau i lawr.

Yna torrwch y corneli fel hyn. ➡

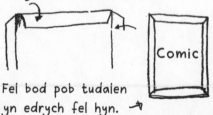

Fel bod pob tudalen yn edrych fel hyn. ↘

Yna gwnewch yr un peth efo ochr <u>arall</u> y dudalen gomic.

Dewiswch pa dudalen hoffech chi ar gyfer y blaen. Yna torrwch ddarn o'r P.C.G. a gludo'r ddwy dudalen ynghyd. Torrwch yr ochrau <u>neu</u> plygwch nhw drosodd.

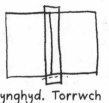

Dylai bod gennych DAIR tudalen wedi'u gorchuddio'n llwyr erbyn y diwedd. Rŵan gallwch eu cysylltu.

Er mwyn gwneud y boced y tu <u>mewn</u>, plygwch y dudalen olaf yn ei hanner.

Rhowch y tu mewn, ar y dde (yr ochr wedi'i blygu AR I FYNY).

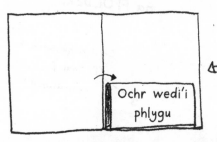

Ochr wedi'i phlygu

Yna torrwch <u>FWY</u> o ddarnau o'r P.C.G. er mwyn gludo'r boced yn ei lle.

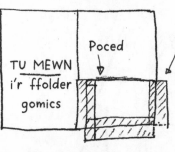

TU MEWN i'r ffolder gomics

Poced

Plygwch y P.C.G. drosodd i wneud iddi edrych yn dwt a gosod y boced yn ei lle. Dylai edrych fel HYN.

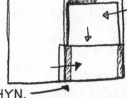

Dylai darn o bapur <u>ffitio</u> iddi.

I orffen, caewch y ffolder a PHYNSHO twll yn ei chanol. Yna rhowch ruban neu linyn drwyddi i ddal y CYFAN efo'i gilydd.

UN FFOLDER GOMICS!

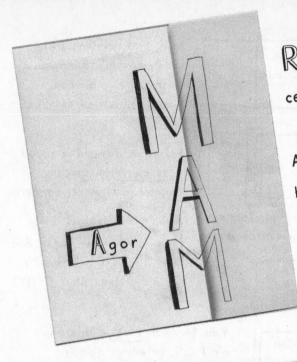

Roedd Mam yn hoffi'r
cerdyn wnes i iddi.

A'r PWRS comic
bach hefyd. Roedd
o'n dipyn haws
na FFOLDER.

Cerdyn hynod dda
(Er mai fi
sy'n dweud.)

Dim mor isel a hynna!

Pan oedd Liz yn fach Ω, roedd hi'n hoffi tynnu lluniau a pheintio a gwneud pethau. Roedd ei mam yn arfer dweud ei bod hi'n dda iawn am wneud llanast (sy'n dal yn wir heddiw!) Wnaeth hi barhau i dynnu lluniau a mynd i goleg celf, lle cafodd hi radd mewn dylunio graffig. Bu'n gweithio fel dylunydd a chyfarwyddwr celf yn y diwydiant cerddoriaeth, ac mae ei gwaith llawrydd wedi ymddangos ar lwyth o wahanol bethau.

Mae Liz yn awdur/dylunydd nifer o lyfrau lluniau. Twm Clwyd yw'r gyfres gyntaf o lyfrau mae hi wedi'u hysgrifennu a'u dylunio ar gyfer plant hŷn. Maen nhw wedi ennill nifer o ⭐ wobrau mawreddog, yn cynnwys y Roald Dahl Funny Prize, Llyfr Plant Waterstones a Gwobr Llyfr Blue Peter. Mae ei llyfrau wedi cael eu cyfieithu i 43 iaith.

Ewch i'w gwefan: www.LizPichon.com

Os ydych chi'n hoffi llyfrau

TWM CLWYD,

beth am ddarllen Dyddiadur Dripsyn?

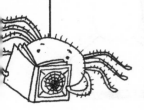

Mŵfs dawnsio NEWYDD Rŵstyr

(sgiliau) 🐾